NOUVELLES D'AUTRES MÈRES

Marchand de feuilles
C.P. 4, Succursale Place D'Armes
Montréal, Québec
H2Y 3E9
Canada

www.marchanddefeuilles.com

Révision : Nathalie Larose
            Jocelyne Tellier
            Karina Lefebvre

Infographie : Images du Nouveau-Monde

Distribution/Diffusion : Marchand de feuilles

Données de catalogage avant publication (Canada)
Myre, Suzanne,
    Nouvelles d'autres mères
    ISBN 2-922944-09-3
    1.Titre.

PS8576.Y75N68 2003   C843'.6   C2003-940509-5
PS9576. Y75N68 2003
PQ3919.3. M97N68 2003

Les Éditions Marchand de feuilles remercient le Conseil des Arts
du Canada pour leur soutien financier

Conseil des Arts du Canada   **Canada Council for the Arts**

L'auteur remercie le Conseil des Arts du Canada
pour l'appui financier accordé à ce projet

Dépôt légal : 2003
Bibliothèque nationale du Québec
Bibliothèque nationale du Canada

La nouvelle *E.T. Phone Home*
a remporté le Grand Prix Littéraire Radio-Canada 2002

SUZANNE MYRE

NOUVELLES D'AUTRES MÈRES

NOUVELLES

MARCHAND DE FEUILLES

Film d'horreur

Depuis que papa est mort, maman est entourée d'hommes de toutes les espèces, comme un pommier est encerclé de touffes de menthe pour le protéger des insectes nuisibles. Je suppose que c'est normal : elle sent aussi bon que ses fonds de garde-robes. J'ai vu un reportage effrayant là-dessus, l'autre soir au canal *Découvertes*, les phéromones, phérormones, ou quelque chose comme ça. Il paraît qu'on est à la merci de ces substances chimiques qui attirent des corps humains, sans qu'on ait vraiment le choix. C'est clair, à voir le genre de repoussoirs qui s'agitent autour de maman, elle est, de toute évidence, pleine à craquer de phéromones. Et ce n'est pas faute de se laver, elle s'astique la pelure deux fois par jour au gant de crin. Il faut même que je lui frotte le dos : c'est assez embarrassant, je vois ses seins. Ils prennent toute la place devant, c'est abominable. J'espère ne jamais devenir comme ça. Autant mourir.

Chaque homme a son utilité. Monsieur Bérard tond le gazon les samedis matin, alors que j'ai encore les deux jambes dans mon pyjama. Il enlève sa chemise et il ne porte rien dessous. J'aime assez ça. Je n'ai jamais vu un homme aussi poilu, même dans les films d'horreur... Peut-être sont-ils tous des sortes de chimpanzés sous leurs vêtements, une miette plus évolués, style *La planète des singes*? Il promène sa tondeuse, les jambes écartées, l'air de dire : « M'avez-vous vu? Je tonds la touffe d'herbes de la veuve Duperron. Super, non? » Et lorsque maman lui tend une bière mousseuse, dans un beau verre en fin cristal taillé du dimanche, les gros doigts de monsieur Bérard ont l'air préhistoriques. Il remercie ma mère d'un sourire étincelant, avec ses grandes dents d'alligator, comme celles de l'homme métamorphosé en reptile dans le film *Alligator Man*.

Ce jour-là, le jour du gazon, elle porte sa robe rouge étroite et sans manches, qui attire les regards comme si elle était nue. Ses poignets, les deux poignets, pas juste un, sont entourés de bracelets ronds qui ressemblent à des pelures de pepperoni. C'est pour rendre ses bras plus féminins et plus croquables. Je trouve qu'elle a l'air d'un saucisson décoré de tranches de salami, mais on ne dit pas ça à une femme de son âge qui se déguise pour être jolie, elle pourrait en pleurer. Monsieur Bérard semble la trouver appétissante en tout cas. Sa femme est partie vivre avec un agent immobilier dans une grande maison entourée de dalles de béton *intondables*. Tout le voisinage est au courant. C'est plutôt étonnant, car habituellement, personne ne se parle. Les gens doivent faire de la télépathie, ou je ne sais quoi. Je pense qu'il a besoin de tondre quelque chose, le pauvre laissé pour compte. C'est pourquoi il vient chez nous. Une sorte de médecine naturelle basée sur les vertus de l'herbe et de la bonne action, ou une suggestion idiote de son docteur, style : « rien de mieux que l'exercice en plein air pour se guérir d'une humiliation ». Ça lui fait du bien en tout cas, et à ma mère aussi, car il semble capital pour une femme de se faire coquette si elle veut survivre, une fois veuve. J'apprends ces choses importantes en vivant auprès de ma mère. Mais moi, je ne me marierai jamais, je veux être comme Linda Hamilton dans *Terminator II*, c'est décidé.

Et puis l'Arracheur de Pissenlits, je l'aimerais assez comme papa de rechange. Plus que monsieur Comtois, qui est gros. Mais comme ce n'est pas moi qui aurais à partager mon lit jumeau avec lui, ça ne me dérangerait pas trop, au fond, que ma mère choisisse monsieur Comtois. Mais ça n'arrivera pas. Je n'ai même pas besoin d'y veiller : il est marié avec une femme de film d'épouvante que personne n'a jamais vue ailleurs qu'au bingo, à travers la boucane. Il travaillait avec papa et c'est lui qui est venu annoncer sa mort à maman. J'étais là, assise comme une potiche, à regarder la scène. Il n'y avait rien à voir vraiment. La mort c'est plutôt invisible à ce que j'ai vu. Elle n'est pas annoncée par une grande cagoule vide portant une espèce de râteau, comme dans le film que j'ai regardé l'autre soir en cachette pendant que maman dormait, mais plutôt par un gros monsieur embêté vêtu d'un complet mou et trébuchant dans ses mots. Ma mère s'est laissé tomber sur le ventre de monsieur Comtois et l'a serré comme un ballon de plage, sans arriver à en faire le tour. J'ai trouvé ça bizarre, parce que je n'avais jamais vu maman serrer papa dans ses bras comme ça, et comique aussi : la robe à carreaux jaunes et bleus accrochée à la grosse bedaine en veston à carreaux bruns et beiges. Les couleurs n'allaient pas bien ensemble. Ça m'est resté collé sur la rétine. Pour me débarrasser la tête de cette image, j'ai commencé à la reproduire avec mes crayons *Prismacolor* mais au bout de quelques carreaux, je me suis impatientée. Il faudrait que je rapetisse la bedaine de monsieur Comtois pour finir mon dessin un jour. Ça me rappelle un film vieux comme ma mère, *The Incredible Shrinking Man*, où un homme se met à rapetisser après avoir été contaminé par un nuage toxique. Il doit se battre contre une araignée géante. Rien à voir avec monsieur Comtois qui, lui, doit se défendre contre le nuage de fumée puante qui entoure sa femme. Normal qu'il soit si gros : il en faut de la prestance pour se battre contre la femme qu'il a.

Depuis qu'il a joué le rôle du Messager de la Mort, il téléphone à maman chaque vendredi soir, quand sa femme est partie à son bingo fumer deux paquets, et ils parlent au moins deux heures, surtout maman. Avec moi, elle n'aligne jamais autant de mots d'affilée, sauf pour me demander si telle robe ne la grossit pas trop ou pour me demander conseil sur le choix des souliers. J'aime autant ça : je la trouve plus intéressante la bouche fermée. Le lendemain, juste avant que le Prédateur de l'Herbe n'arrive avec ses poils et sa tondeuse, on reçoit un petit paquet avec des pâtisseries de la veille : monsieur Comtois est superviseur de l'usine de gâteaux et il ramasse les bons restes pour nous. Il sait qu'on économise l'argent surtout pour le pain et le lait, pour ces choses sans intérêt, sans goût, mais qui sont essentielles « pour ne pas se ramasser avec juste la peau sur les os », comme le dit maman. Tous ceux que j'ai vus travailler à cette usine étaient gros, sauf mon père. Il ne profitait pas. Même pas des caresses de ma mère étant donné qu'il n'en recevait pas. Monsieur Comtois ne vient jamais porter ses gâteaux lui-même. J'aimerais bien ça. Juste pour voir la face d'Alligator Man. Il pense que c'est maman qui les cuisine pour lui.

Le samedi soir, maman sort avec Paul. Je le déteste, celui-là. Il a trop son âge, il est trop de son goût, elle rit trop dès qu'il ouvre la bouche, dès qu'il dit une niaiserie en parlant du nez. Je pense qu'il a appris à débiter des âneries en étudiant pour devenir représentant de produits minceur. C'est nul, archi-nul. Il empeste la mauvaise lotion après-rasage et le désodorisant à bon marché, mais maman trouve « qu'il sent étourdissant ». *Haut-le-coeurisant* serait plus juste. Et puis, il croit pouvoir nous acheter moi et mon affection en nous graissant la patte avec des biscuits *Whippet*. Maman a déjà le profil d'une allumette, mais il la fournit en cochonneries-minceur pour qu'elle mange sans engraisser. Moi je suis déjà rondelette et il veut me rendre bouboule avec ses *Whippets* farcis de gelée, qui ressemblent à du sang de monstre coagulé sous de la morve de yéti montée en neige. Qu'est-ce que j'en ai à faire de ses biscuits ? Je me suis bourré la face toute la journée avec les gâteaux de monsieur Comtois, qui, lui, ne nous achale pas avec ses bonnes manières sucrées, vu qu'il est déjà marié. Au moins, je me suis fait une ou deux amies à l'école grâce à ses *Whippets*, même si, rendus au lundi, ils sont déjà un peu raides de la guimauve.

Maman me dit : « Tu vas te garder toute seule ce soir, comme une grande ? » J'ai envie de répondre : « Oui et ça tombe bien que tu sortes encore parce que j'avais projeté de mettre le feu à la maison ou mieux, de me pendre avec le foulard hideux qu'il t'a offert pour t'enlaidir aux yeux de tout le monde sauf aux siens. Et quand vous allez revenir, je serai si bleue et boursouflée que vous n'irez pas vous tripoter au sous-sol en pensant que je dors et que je ne vous entends pas alors que je suis là, à vous épier par le petit trou dans la cloison. En passant, je trouve que monsieur Bérard est pas mal plus intéressant que ton Paul qui ressemble à l'Homme Cobra, pas de poils nulle part, surtout que monsieur Bérard,

au moins, il se contente de tripoter ta pelouse, lui. »
Mais je réponds toujours : « Mais oui, mais oui. Je
peux écouter le film d'horreur à 8 h 30 ? » C'est ma
seule consolation et, au moins, elle n'est pas là pour
changer de poste pendant les bouts *épeurants*. J'aime
ça avoir peur devant les films, plus qu'avoir peur
dans la vraie vie. Peur que maman invite Popaul à
venir rester avec nous et d'être condamnée à vivre
enterrée vivante sous ses maudits *Whippets* jusqu'à
la fin de mes jours. J'aime mieux les gâteaux de
monsieur Comtois qui me rappellent papa et l'odeur
de sucre qui imprégnait ses vêtements quand il ren-
trait de l'usine.

Ma seule chance d'échapper à la malédiction
Paul-tron est que le Loup-garou de l'Herbe se décide
à utiliser ses dents autrement que pour faire briller
son sourire. Il est timide, ça se voit, mais il aime
maman, sinon pourquoi tondre la pelouse gratuite-
ment comme il fait ? Et il doit bien lui plaire, à elle
aussi, puisqu'elle s'habille en morceau de viande
froide tous les samedis. Ça ne ment pas, une femme
qui se sert sur un plateau comme un hors-d'œuvre.
Mais voilà, ils se font des *minoucheries* sans se toucher ni discuter d'autre chose que des envahisseurs
qui pourraient s'emparer de nos gazons, qui ont déjà
l'air de tapis de balcons. Remarquez, ça existe, l'enva-
hisseur qui arrive de l'espace sous forme de racines,
on le voit dans *L'invasion des profanateurs*. En tout
cas, moi, je regarde ça comme si c'était toujours le
même film plate, avec des acteurs qui mâchouillent

un texte prédigéré. Je vois venir toutes les répliques comme si je les avais écrites moi-même, un soir de déprime en pensant au sort du pauvre Dr Bruce Banner, condamné à se transformer en Incroyable Hulk en déchirant une nouvelle chemise, sans pouvoir rien y faire. Assise sur le balcon dans ma chaise berçante, pour ne pas avoir l'air d'espionner, j'assiste à leur manège nul en tricotant un foulard monstrueux que j'offrirai à Popaul pour le faire fuir à Noël, s'il est toujours dans le paysage. Je lui ferai un bel emballage avec un petit mot doux sur un beau carton : « Idéal pour se pendre, juste la bonne longueur, les pieds ne toucheront pas le sol, c'est moi qui vous le dis, je suis forte en mesures. »

C'est clair, et qu'on se le dise : à choisir, je préférerais un père qui se tient sur le gazon la chemise au vent que dans le sous-sol sous la robe de maman. Si elle marie son Paul, je vais lui en faire un film d'horreur. Et elle ne pourra pas changer de poste.

Le cœur percé

« Maman, j'ai huit petits jours de vacances et je pensais aller faire un tour rapide en Gaspésie. J'ai vingt-neuf ans et tout le monde a déjà vu le Rocher Percé, sauf moi, et j'ai peur que les pluies acides ne le détruisent d'ici le deux juin prochain. Il faut que j'y aille sauf que je n'ai pas de voiture, tu vois ? » Et elle répond, tout à fait calme, car elle est pourvue d'un système nerveux normal : « Ah ? Pourquoi le deux juin ? Comme c'est étrange…tu sais que ton père et moi avons divorcé un deux juin ? Tu étais trop jeune pour t'en souvenir. » Elle fait un temps d'arrêt, je retiens ma respiration, j'ai l'habitude, je faisais ça tout le temps quand j'étais jeune et que je voulais attirer l'attention. « Tu respires ? Je ne t'entends plus ? Tu sais quoi ? Je n'y suis jamais allée non plus et j'ai quarante-neuf ans ! Pourquoi on n'y irait pas ensemble ? J'ai une voiture, on partagera les dépenses. »

Et je dis : «Ah…oui…pourquoi pas?», en me demandant s'il faut applaudir ou raccrocher. Mais tout ce qui compte au fond, c'est que je puisse aller en Gaspésie pour me passer la tête par le trou du Rocher Percé une fois avant de mourir et peu importe avec qui et par quels moyens déviés, même si je dois me replier sur celui qui s'appelle maman.

J'ai fini par faire écho à son «oui», un vrai «oui», sans plus y réfléchir. Si, à la suite de sa réponse, j'avais pris deux secondes de plus pour sonder la question, j'aurais crié : «Non, es-tu folle ! Tu es ma mère ! Qu'est-ce que mes amis vont dire ? Je ne pourrai jamais te supporter tout ce temps, tu es trop folle… », «folle» étant répété une deuxième fois pour être sûre de croire à mes propos et de ne pas céder à sa demande alléchante. Et je serais restée à Montréal à me ronger les ongles pendant huit jours en me disant que finalement, ça n'aurait peut-être pas été si pire. Les vacances, ce n'est pas fait pour se détruire les doigts, mais pour se reconfigurer une bonne mine. Il faut savoir marcher sur son orgueil, parfois.

Départ de Montréal

— Tu ne vas pas emporter tout ça ? Tu crois que tu vas assister à des soirées mondaines, être invitée à souper par Victor-Lévy Beaulieu ? On va faire les gîtes du passant, nous enfouir dans les bois, marcher sur le bord de l'eau, cueillir des fleurs sauvages, respirer le bon air de la mer, rien qui demande un attirail sophistiqué, juste des trucs simples et pratiques pour le plein air. On dirait que tu pars pour trois mois.

— Maman, j'emporterai bien ce que je veux. Et puis comment as-tu réussi à tout faire entrer dans ce petit sac ? À ton âge, il me semble qu'on a besoin d'une trousse de maquillage de la grandeur d'un paquebot rempli à craquer de tout ce qu'il faut pour cacher ce qui ne va pas.

Rien qui cloche chez ma mère ; elle est *liftée* naturel, c'est incroyablement choquant.

— Qu'est-ce qui ne va pas d'après toi ? Allez, viens, petite peste insolente, on est déjà en retard sur notre horaire.

— Maman, on n'a pas d'horaire, on est en vacances. C'est fait pour oublier que les horaires existent. Allez ! Holà ! On relaxe !

J'ai pris le volant, elle voulait consulter son *Guide du Routard de la Gaspésie*, et ses petits guides touristiques gouvernementaux. Il y en avait partout à ses pieds. Elle soulignait, entourait, biffait. J'ai mis *Radiohead* à fond pour ne pas entendre le bruit du feutre sur le papier glacé.

— Tu crois qu'on pourra arriver à Kamouraska avant la pénombre ?

— Quoi ? Est-ce le bruit de ta voix que j'entends derrière ce capharnaüm ou l'horrible fredonnement d'un maringouin ?

J'ai répété ma question sans tenir compte de la sienne. J'aime le sarcasme, l'ironie, toutes les formes déviantes de l'humour, mais pas quand elles émergent de l'esprit de ma mère. Elle a le don de mettre en péril le délicat échafaudage de notre relation.

— Bien sûr, ce n'est jamais plus qu'à cinq heures d'ici, mais je crains qu'à ce rythme, on n'y arrive pas avant la fin des vacances.

— Tu veux prendre le volant ?

— D'accord.

Comme ça, du moins, elle allait me ficher patience avec son coloriage de guide. Et j'allais pouvoir ronger quelques cuticules.

— Et ton mec. Il ne va pas s'ennuyer de toi ?

— À nos âges, ma fille, on est capable de se raisonner. Et puis, j'ai appris à vivre sans homme, tu le sais, non ? Il n'y a pas eu une délégation masculine à la maison pendant ton enfance pour te perturber, je t'ai préservée de cela, Dieu merci ! Je suis une personne, il en est une autre, on mène chacun notre vie et parfois on se rencontre et on en partage un bout, voilà tout. Pas la peine de faire un plat parce qu'on ne se verra pas pendant quelques jours. Et puis cesse d'appeler tout le monde « mec », c'est impoli, d'autant plus que tu sais qu'il s'appelle Jean.

— Pardon maman, mais « à vos âges », ça va pour toi peut-être, mais pas pour lui. Il pourrait être ton fils, en tout cas, mon amant.

— Ce que tu es bornée et pleine de préjugés ! Tu crois que ça n'est permis qu'à Janette Bertrand d'avoir un amoureux plus jeune ? Conduis entre les lignes jaunes au lieu de dire des niaiseries.

Je vais me souvenir *ad vitam aeternam* du jour de cette rencontre. J'en ai encore des frissons d'horreur, et d'humiliation.

Il se tenait tout droit devant le petit sapin au centre de la cour arrière. Il examinait une branche. J'ai pensé qu'il lui faisait peut-être la conversation parce que ses lèvres remuaient à proximité des épines. J'ai craqué. Je suppose que j'ai toujours souhaité rencontrer un homme qui parle aux arbres. Il s'est retourné au bruit de mes talons sur les marches de l'escalier de fer forgé. Son visage s'est détendu en un sourire qui m'a achevée, le sourire d'un homme heureux parce qu'il vient d'apprendre le secret d'un petit sapin, et peut-être aussi parce qu'il aperçoit une jolie fille, aussi jolie que sa mère qui la suit, une main sur l'épaule.

— Lisa, laisse-moi te présenter Jean….

L'homme de ma vie.

— …l'homme de ma vie.

Impossible. Il a quinze ans de moins qu'elle, cinq de plus que moi. Il est fou, elle est folle. Je deviens folle. Il s'est approché de nous, d'une démarche assurée qui l'amenait vers moi, vers nous. Je le détestais, je l'adorais, je le voulais pour moi. L'arracher des mains de cette femme aux chairs cinquantenaires, sans une ride ou une flétrissure. Ma mère est celle que tout le monde souhaiterait avoir, mais qui vous énerve quand c'est la vôtre. Une mère qui possède toutes les qualités qui n'ont malheureusement pas déteint sur son enfant. Je n'ai rien à lui reprocher, c'est fatigant. Excepté sa perfection, et le fait qu'elle me pique mes prospects.

— Salut. Maman m'a parlé de toi. Mais je ne m'attendais pas à ça. Vous êtes bien le pilote de l'air ?

— En congé. Alors, j'en profite pour passer quelques jours avec Marthe. J'avais hâte de te rencontrer. La fille a l'air aussi jeune que la mère !

— Oui, on a commencé à marcher à la même date. Toi, tu étais probablement encore en train de téter.

— Lisa, arrête ton cynisme, s'il te plaît. Tu devrais être contente que, pour une fois, ce soit une femme qui ait le privilège de se trouver avec un homme plus jeune.

— Privilège ? Il va bientôt devoir pousser ta chaise roulante !

Jean s'amusait comme un fou. Au moins, il nous trouvait drôles. Il riait comme un enfant en prenant maman par les épaules. À ma grande désolation, ils étaient magnifiques à voir ensemble. Je me suis soudainement sentie centenaire, seule, et rejetée de la planète.

Nous nous sommes assis par terre, près du sapin parlant. Maman nous a servi des thés glacés, son arme principale de séduction. Elle conquiert tout le monde avec sa satanée potion.

— Marthe, je n'ai jamais bu un aussi bon thé glacé.

— Mer…

— On le sait, on le sait. Tu n'es pas le premier à craquer pour son thé. Ils l'ont tous fait avant toi. Crrrrrac ! Elle y met une drogue.

— Tu es impossible, ma chérie.

— C'est vrai, Marthe ? Tu nous drogues ? Lisa, j'ai eu le coup de foudre pour ta mère devant un verre d'eau. Rien à voir.

— Ça va, ça va. Je suis juste jalouse. Tu n'as pas un frère copie conforme, par hasard ?

Je me surpassais. Sarcasme, faiblesse, déception, jalousie. Comment rivaliser avec ce duo *apollinien* ? Je me suis laissée tomber sur le dos, l'herbe fraîchement coupée pénétrait le fin tissu de ma robe et dardait ma peau.

— On voit ta petite culotte, chérie. Blanche.

— Ça va le changer de tes culottes à grandes manches.

Ça y était. La grande compétition. Perdue à l'avance. Je creusais ma tombe. Autant me laisser mourir mangée par les insectes.

— Il y a une fourmi, noire, géante sur ton bras. Elle marche droit vers la bretelle de ta robe.

De quoi il se mêle, celui-là ?

— Ça va, laisse-la aller. On ne sait jamais. Une fois sous ma robe, peut-être se changera-t-elle en prince charmant ?

— Ou en scie sauteuse.

Idiot. Ferme-la, ta voix me chatouille l'échine. Et lâche la cuisse de ma mère. Tu vas abîmer ses varices.

Je me revois ramper jusque chez moi complètement déprimée, la tête rentrée dans les épaules. Je n'ai déjà pas un très long cou, je devais avoir l'air d'un billot habillé d'une inutile robe blanche. J'ai donné un coup de pied dans les côtes de mon chat qui bloquait la porte d'entrée avec ses cinquante livres. J'en ai donné un autre dans le mur, à la même place que d'habitude. Je ne suis pas restée là. J'ai mis les pantalons couleur moutarde qui moulent mes fesses en cul de canard et les sandales noires qui font *couik-couik* quand je marche, pour qu'il soit impossible de ne pas me remarquer, et j'ai filé vers le Point Tournant, là où tous mes ex-amants se terrent (dans l'espoir que je m'y pointe, assurément). Mais j'ai siroté un verre, seule, comme un rat.

Et maintenant, j'étais là, comme une idiote masochiste à ruminer encore une fois ce burlesque épisode alors que je roulais vers des paysages grandioses qui seraient susceptibles de me faire oublier ma sale peau. Mission impossible : j'étais épinglée pour huit jours à la tricoteuse de cette pelisse trouée, et elle sifflait du Daniel Bélanger comme une petite fille de vingt-neuf ans.

La route des navigateurs, pain et moutons

Je n'avais jamais rien vu de pareil. La mer et les îles défilaient devant mes yeux, nimbées du soleil de midi, reflétant une telle paix que, tout à coup, j'ai cessé de ressaser mes ressentiments, sans même me forcer. Est-ce cela qu'on appelle la naturothérapie ? J'ai ouvert grand les fenêtres en pensant que maman me crierait que ça la dépeigne, mais comme elle n'est pas une mère standard, elle n'a rien dit. Une expression de contentement imprégnait ses beaux traits. Je me suis demandé comment il était possible d'avoir si peu hérité de sa génitrice. Je m'en fais avec tout depuis que je suis née, je plie et casse au gré des vents ; elle tient droit sur ses deux jambes comme s'il s'agissait de troncs de séquoia. J'accumule les déceptions amoureuses depuis que je suis en âge de le faire, alors qu'elle n'a eu qu'un seul mari, mon père, que j'ai à peine connu et dont elle m'a vaguement parlé. Puis, quelques amoureux sans importance dispersés ici et là, et maintenant, ce sublime pilote d'avion. Rien qui n'ait représenté un drame susceptible de froisser sa santé mentale et physique. Son visage est aussi lisse qu'une peau de poire Anjou, mes préférées, celles qui ne talent pas. J'en conclus que les hommes abîment les femmes. J'ai déjà des pattes d'oie et des boutons qui cicatrisent mal, parce que je les tripote. Je refuse de sortir de chez moi avec un rond de pus blanc sur le front. Je cache les traces avec un fond de teint qui me coûte très cher. Ma mère ne sait pas ce qu'est le fond de teint. Ni le mascara, ni le rouge à lèvres. Elle est impossible. Ce n'est pas normal d'être si bien dans sa peau, surtout à son presque troisième âge.

— Regarde, on approche de Kamouraska. J'aimerais me reposer un peu, que dirais-tu de faire un arrêt sur le bord de l'eau ? On pourrait grignoter quelque chose. Il y a une excellente boulangerie au nom allemand située dans une maison ancestrale, dit-on dans le guide du Bas-Saint-Laurent. On y vient de partout pour acheter leur pain. Je meurs d'envie de voir ça.

Leurs produits étaient hors de prix. C'est clair, ils nous faisaient payer leur hypothèque. Qu'est-ce qu'il y a de si cher dans la farine, les œufs et la levure ?

— Tu n'as pas envie d'acheter ici ? Tu as vu les prix ? Ils font venir leurs farines d'Allemagne ou quoi ? On pourrait se payer un quart de cuisse chez St-Poulet avec une seule de leur miche aux cent quatorze grains !

— Écoute, on est en vacances, il n'est pas question qu'on se prive. Mon Dieu ce que tu es gratteuse ! Je ne comprends pas comment tu peux avoir envie de te bourrer de poulet aux hormones quand tu sens ces arômes. Essaie de trouver un pain comme ça à Montréal.

— Tu n'es pas souvent sortie, ma vieille. Il y a une boulangerie artisanale à tous les coins de rue. Mais ils ne vendent pas leur pain un dollar la graine de sésame. Ils n'ont pas de maison ancestrale à payer non plus.

— Chut! Ils vont t'entendre. C'est moi qui paie. Je vais prendre un pain de farine d'amarante, et deux de ces brioches, s'il vous plaît.

Une fois dehors, maman, la mine basse, a jeté les paquets sur le siège arrière entre nos bagages et elle a dit :

— Tu as raison, ce sont des voleurs. Viens, on va acheter des pâtés et des légumes à l'épicerie. Ils peuvent se les garder, leurs sandwichs tout faits à six dollars.

Je l'ai haïe, puis je l'ai aimée. C'est souvent comme ça, avec elle.

C'était franchement magique sur le bord de mer. Le soleil créait un effet miroir sur l'eau, il m'aveuglait. J'ai dû mettre mes lunettes fumées John Lennon avec lesquelles j'ai l'air d'une parfaite idiote, mais qui m'évitent de plisser les yeux. C'est mauvais, ça donne des rides. Derrière nous, les riches maisons fleuries et habitées trois semaines par année agrémentaient la quiétude des lieux, celle que je ne peux jamais trouver dans mon petit logement aux murs de carton, avec mon voisin débile qui écoute du *trash-métal* dès qu'il met le pied hors du lit. Le même voisin avec lequel j'ai couché plusieurs fois sans le dire à personne, parce que franchement, il n'y a pas de quoi être fière.

— Tu ne trouves pas qu'il est un peu massif, ce pain ?

— C'est indéniable, on dirait qu'il n'est pas cuit. Tu savais ce que c'était, de l'amarante ?

— Non, mais je trouvais le nom joli. Si c'était à refaire, je t'appellerais Amarante, tu n'aurais pas aimé ça ?

— Mon Dieu ! Je l'ai échappé belle ! Viens, Blé Entière, allons voir s'il reste une chambre au Cap Blanc. Ce n'est pas le motel que tu as entouré dans ton guide ?

— Je ne sais pas, j'en ai tellement encerclé.

— Heureusement, tu as une guide de soutien. On jette le reste aux oiseaux ?

— Pas question ! À ce prix, on le mange jusqu'à la dernière miette.

*

Toutes les chambres avaient une vue surplombant la mer. Franchement, on ne pouvait rêver mieux comme première escale. Maman a ouvert la porte patio et le vent s'est engouffré dans la pièce en faisant voleter les stores verticaux dans toutes les directions. Je déteste les stores verticaux. Je les ai écartés en tassant les lattes ensemble pour les voir le moins possible. J'ai jeté mes sacs sur le lit que j'ai choisi, sans demander, auparavant, l'avis de maman. Comme elle sait que j'ai une vessie grosse comme un petit pois et qu'il est préférable que je sois le plus près possible des toilettes, j'ai trouvé inutile de la consulter.

— La politesse exige que l'on discute du choix du lit avant d'en accaparer un.

— Tu préfères celui-ci ? Si tu as envie que je te dérange la nuit pour aller pisser, c'est à ton goût.

— Non, ça va, celui-là m'ira très bien. Je voulais seulement t'inculquer une notion de savoir-vivre qui semble t'avoir échappé jusqu'ici, on dirait.

— N'essaie pas de refaire mon éducation aujourd'hui, tu l'as ratée une fois, je ne vois pas pourquoi tu réussirais mieux maintenant que je ne suis plus en âge d'être décrottée. Relaxe, Mom, on est en vacances.

Pour éviter une conversation, j'ai allumé la télé. Elle est sortie sur la terrasse et s'est mise à humer bruyamment l'air et à faire de grands moulinets avec les deux bras. J'ai haussé le son du téléviseur. A-t-on idée de respirer si fort !

Je n'ai pas dormi de la nuit. Quand ça fait des années qu'on a quitté la maison maternelle, dormir à côté de sa mère est angoissant. J'avais l'impression de régresser. Surtout au moment du bisou-bonne-nuit. Je pouvais voir son corps se soulever paisiblement à chacune de ses respirations, délicate montagne de quarante-neuf ans d'où j'étais issue, moi, petite colline bosselée sur laquelle bien des promeneurs s'étaient cassés les jambes. Ils n'avaient qu'à aller dépenser leur énergie ailleurs, c'est ce que je me dis après chacune de mes ruptures. Je ne peux être tenue responsable de tout ce qui ne marche pas, on a tous nos accidents de parcours. J'en compte juste plus qu'une autre. J'ai fini par allumer la lampe de chevet et j'ai feuilleté le guide du Bas-Saint-Laurent. Maman avait noté en tout petit dans une marge : « C'est étrange et merveilleux, je suis en vacances avec ma fille pour la première fois de ma vie ». J'ai refermé le guide, puis la lumière, et j'ai fini par m'endormir, avec peut-être un sourire aux lèvres, je n'oserais l'affirmer.

Maman s'est levée avant moi. J'ai fait semblant de dormir. Le soleil cherchait à s'infiltrer entre les affreuses lattes du store et imprimait des zébrures sur mon édredon. Elle a enlevé sa chemise de nuit, à trois pieds de mon lit, je pouvais sentir l'odeur de sa peau propre et détendue par le sommeil. Je ne l'avais jamais vue entièrement nue. J'étais terriblement troublée. Peut-être aurais-je dû fermer les yeux, ou lui signaler que j'étais réveillée ? Pourtant, je ne pouvais détacher mon regard du corps de ma mère. La pénombre devait certainement l'avantager, elle nous avantage toutes passé vingt-neuf ans. Le clair-obscur fait un meilleur travail que le néon. Il n'y a qu'à penser aux cabines d'essayage des grands magasins d'où l'on sort en pensant au suicide. Je la regardais pour avoir une idée de ce que j'allais devenir et voilà qu'elle était telle que j'étais déjà. J'étais émue, et jalouse en pensant à son pilote de l'air. Pour tout dire, je la trouvais mieux que moi. J'ai décidé de tousser pour mettre un terme à cet examen impudique qui éveillait en moi des sentiments contradictoires et malsains susceptibles de me déprimer pour la journée, voire jusqu'à la fin de mes jours.

— Tu es réveillée, Lisa ? Alors, j'ouvre les persiennes.

— « Persiennes » est un mot trop joli pour parler de ces horreurs.

— Quelles belles premières paroles du jour ! Tu es trop attachée aux détails, surtout ceux que tu peux critiquer. Regarde comme il fait un temps superbe ! Filons vers le Bic, on pourra aller faire une petite randonnée dans le parc et dormir au « Gîte aux moutons » qui se trouve près du village. Tu n'as jamais visité une bergerie ?

— Non, j'ai assez de moutons sous mon lit. Mais j'avoue que l'idée d'en tripoter un vrai me plaît assez. Alors d'accord.

J'avais une organisatrice, pourquoi me fatiguer à protester ? Je n'avais rien d'autre à proposer de toute façon. Je suis un peu paresseuse, je déteste lire les guides de vacances, j'aime me laisser faire, et critiquer quand ça ne fait pas mon affaire. Pour critiquer, je ne suis jamais paresseuse, j'en ai fait une matière forte. On m'aime pour mon sens de l'observation, et on me rejette pour la même raison. On me dit que c'est fatigant à la fin. Mais je ne peux pas la fermer. Impossible. Il faudrait m'arracher la langue, et il n'y a pas un mec qui aurait intérêt à le faire, parce que je m'en sers très bien pour tout ce qui touche, justement, leurs intérêts.

Nous avons terminé le pain d'amarante qui, une fois grillé, rendait bien son goût, surtout agrémenté des confitures de fraises maison que maman avait emportées. J'ai fait l'inventaire des victuailles qu'elle avait empaquetées dans une glacière Coca-Cola antique. Ma mère adore ces vieilles cochonneries. Il y avait de tout, même mes chocolats favoris. Nous n'allions pas mourir de faim en route. Manger m'est primordial pour nourrir la causticité de mon esprit. Je ne peux supporter la moindre sensation de faim. J'ai toujours quelque chose au fond des poches. Parfois, je lave mes vêtements en oubliant de les vider, ça crée tout un drame dans la lessiveuse. Elle a fait un café dégueulasse, qui goûtait le carton brun. Je l'ai bu avec plaisir en analysant maman sous toutes ses coutures. Mon compte rendu l'a tant fait rire que j'ai poussé l'analyse jusque sur sa tenue vestimentaire, ce qui a eu moins l'air de lui plaire. J'ai cessé mon numéro de grande comique et nous avons tout remballé en silence. J'ai pris le volant, choisi un disque de *Belle and Sebastian*, en pensant que ça lui rappellerait la pop *british* de ses années 70, et donc son âge, et donc qu'elle est trop vieille pour son pilote. Elle a déposé ses pieds sur le tableau de bord et mis son nez dans un guide, *ce guide-là*. J'ai souri, du côté gauche du visage, pour ne pas me faire questionner.

— Maman, si tu avais à choisir une manière de mourir, préférerais-tu brûler vive ou être enterrée vivante ?

— Quoi ? Mon Dieu ! je n'ai jamais pensé à cela. Tu n'as pas un troisième choix ?

— Dévorée par un ours…

— Je ne sais pas. Quelles drôles de pensées ! Tu as un autre jeu ?

— Préférerais-tu perdre la vue, toutes tes dents et tes cheveux ou les doigts de ta main gauche ?

— Lisa, tu as une telle imagination que c'est un crime et un gaspillage que tu ne sois pas écrivain. Stephen King a fait fortune avec des idées aussi lugubres.

— Je n'ai aucun talent pour l'écriture.

— Je ne te crois pas. Tu avais les meilleures notes en français et en composition jusqu'au cégep.

Vrai. J'ai reçu une mention en secondaire cinq pour mon exposé oral « Comment vous débarrasser d'un petit ami incompétent en trois jours ». Les élèves de la classe étaient morts de rire, le prof s'était retenu, pour ne pas encourager l'hystérie collective, et le petit ami en question, assis au fond de la classe, avait essayé de faire comme s'il n'avait pas été question de lui. Si tout le monde doit connaître sa minute de gloire, je peux sans conteste affirmer que j'ai vécu la mienne à ce moment-là. J'ai été ovationnée, ou presque. C'est payant de se moquer ouvertement de la gueule des autres, de leurs sentiments, à cet âge où la popularité se construit souvent sur le dos des faibles. Si j'avais ouvert un bureau de *service-conseil* amoureux pour mes compagnes de classe à ce moment-là, je ne serais pas encore en train de rembourser des prêts étudiants.

— Alors, enterrée vivante ou grignotée par un nounours?

— Écrivain ou brûlée vive par tes frustrations? Un talent négligé est source de frustrations, il n'existe pas de plus grande satisfaction que de créer, que d'exprimer ce qu'on ressent au travers d'un médium quelconque.

— Qu'est-ce que tu en sais, toi?

— Rien. C'est ce que je pense, c'est tout. Je sais que tu as du talent. Je me souviens des poèmes et des cartes de fête que tu m'écrivais quand tu étais petite et gentille, de vrais petits chefs-d'œuvre. Je les ai tous gardés, si ça t'intéresse de les relire un jour.

— Non merci. On change de sujet, tu veux?

Je déteste que ma mère se mêle de mes affaires, surtout quand elle touche un point sensible. C'est vrai que je me cherche, c'est normal, j'approche la trentaine. Je pense et ressens des trucs jamais éprouvés auparavant, c'est assez fatigant d'ailleurs. Jusqu'ici, je ne vivais que pour l'expérience, vivre des choses qui me procureraient des sensations fortes, sans me poser de questions. Sexe, drogue et musique pop. Et tout à coup, je commence à me sentir mal. Je n'ai ni petit ami, ni emploi stable, juste des dettes stables. Je ne fais rien qui me valorise, je me sens, à vrai dire, tout à fait inutile et c'est un peu ce sentiment d'inutilité que j'avais eu envie de fuir en partant pour la Gaspésie, en espérant y rencontrer une partie de moi, quelque chose, quelqu'un, n'importe quoi. C'était bien parti. J'ai remplacé *Belle and Sebastian* par David Gray, pour me peindre davantage le moral en bleus. J'ai cet autre talent inné, celui de me morfondre à volonté, et plein d'outils pour le faire.

La route s'étirait tranquillement. On avalait les kilomètres et je me sentais me vider et me remplir à la fois. Inconsciemment, j'espérais un miracle, une illumination, qui me ferait revenir restaurée à Montréal, après cette cure de huit jours près de la nature. J'étais à des lieues de chez moi et il me semblait ressentir plus que jamais ce malaise permanent que j'essayais d'ignorer dans ma vie de tous les jours. Il me suivait, il était derrière nous, dans une voiture un peu moins rapide, mais qui, de temps en temps, nous dépassait. Il m'envoyait un salut, un sourire, ou une grimace. J'avais beau accélérer pour le perdre de vue, rien à faire, il me rattrapait. Alors, je mettais de la musique pour m'anesthésier un peu. Un pansement temporaire, mais nécessaire. C'est plutôt fatigant de ne pouvoir mettre un mot sur un état latent qui nous ronge les sangs.

La beauté des reliefs du parc du Bic m'a arrachée à mes pensées. Il me semblait n'avoir jamais rien vu de si féerique. Mes yeux voyaient si loin que je sentais mon acuité visuelle s'étendre à son maximum. Enfin, aucun mur de briques sur lequel me fracasser. Que des montagnes enchanteresses, frisées comme des petits moutons innocents et par-dessus lesquelles je pouvais éloigner mon regard. David Gray et ses *Lost Songs* me donnaient envie de pleurer, tandis que défilait ce paysage nouveau dans lequel je me retrouvais un peu.

— Mon Dieu, ces chansons sont si prenantes ! Tu n'as pas quelque chose de plus joyeux ? Ce que ma fille est mélancolique !

J'ai ri, on a ri. J'avais des larmes dans les yeux.

*

Le *Gîte aux moutons* était perché au sommet d'une petite colline, en pleine campagne de cultivateurs. Une ancienne maison rénovée avec goût, dans les tons de rose et d'orangé. On pouvait entendre les moutons bêler dans leur pré. De loin, je trouvais qu'ils avaient l'air de boulettes de ouate juchées sur des cure-dents. J'ai réalisé que non seulement je n'avais jamais touché un mouton, mais je n'en avais jamais vu un vrai non plus. Une vraie habitante de la ville. Je me suis sentie toute petite. J'ai tapé dans mes mains et j'ai couru jusqu'à la clôture entourant le pré, perdant une de mes sandales en chemin. Maman me regardait, attendrie de voir sa fille unique se ruer comme une débile sur un troupeau de brebis. Quand je lui ai fait signe de venir me rejoindre, elle a marché tranquillement, comme si elle voulait se donner le temps de bien capter la scène pour la ranger dans son tiroir secret, celui des choses heureuses qu'on ne veut pas oublier, pour s'en servir lors des jours plus tristes. On a caressé les moutons les plus sociables et mes mains sont rapidement devenues poisseuses. Je me suis mise à me gratter les bras et les poignets avec rage.

— Maman, je suis allergique aux moutons! Noooon! Ils sont trop mignons. Dis-moi que ce n'est pas vrai!

— Viens, on va se laver les mains. Ce ne serait pas trop grave si tu étais allergique, il n'y a pas beaucoup de moutons à Montréal.

J'ai reniflé comme une fillette chagrinée, mais je ne l'étais pas vraiment, je voulais seulement rester dans le ton. L'immense véranda occupée par des chaises berçantes retapées et peinturlurées de couleurs criardes, était cerclée de pots de fleurs décorés de moutons bigarrés et de sculptures représentant des moutons. Une pure jouissance pour un œil amateur d'art naïf. Nous nous sommes annoncées à la propriétaire en sonnant sur le mouton-sonnette. Une dame frisée comme on sait quoi a ouvert la porte en bêlant : « Boooonjour »! Nous avons éclaté de rire et bêlé à notre tour. Je peux jurer cracher qu'en cette seconde, j'ai été parfaitement heureuse.

— Quel lit préfères-tu, dis-je en fille polie à sa maman éducatrice d'enfants retardés?

— C'est bien, tu apprends vite, je n'aurai pas à utiliser mon fouet. Prends celui que tu veux, c'est toi qui a des problèmes de sommeil, pas moi. Tiens!

la plaque autour de l'interrupteur est une petite brebis.

— Oui, c'est pas mal craquant. Je souffre de pipis incontrôlables, maman, pas de troubles du sommeil. Je prends celui sur le bord de la fenêtre, j'aime ce couvre-lit avec le mouton rose. Prends le mouton bleu. Il ressemble à Jean. D'ailleurs, tu ne l'as pas encore appelé, celui-là ? Qui te dit qu'il ne s'est pas suicidé de désespoir de ne pas avoir eu de tes nouvelles depuis quarante-huit heures, en se jetant en bas de son avion, emportant avec lui dans la mort quarante-huit passagers innocents dont huit se réincarneront en moutons tandis que les quarante autres s'installeront volontairement dans les enfers pour s'assurer que leur assassin y brûle bien et à perpétuité ? Que c'est mignon ! le tour des taies d'oreillers est brodé de moutons vert lime !

— Oui, en effet. Quel délire, tu devrais écrire, faire des films, avoir une chronique à la radio espèce de folle ! Regarde ça, le pied de lampe est en forme de mouton.

— An-anh, quelle surprise. Je vais prendre une douche avant qu'on ne reparte pour le parc. Mon Dieu ! cette tapisserie est étourdissante. Combien il y en a, à ton avis ?

— Tu les compteras ce soir si tu as du mal à t'endormir.

La toilette ultra-moutonnée était aussi ultra-moderne. J'ai eu peur de perdre tous mes cheveux tellement le jet libéré par le pommeau de douche était agressif. La savonnette-mouton a perdu ses formes après avoir fait le tour de ma personne, ça m'a gênée. On ne devrait jamais se laver avec ces jolies choses. J'ai des tas de chandelles qu'on m'a offertes en cadeau, en forme d'anges, de petits cochons, de pénis, et je n'ai jamais osé les allumer. Quoique j'ai souvent dû me retenir pour le pénis, après une rupture. Je me suis essuyée avec la serviette imprimée d'un gros bélier, puis crémée avec la lotion odorante, puis parfumée avec l'autre mixture. J'essaie tout quand c'est donné : des échantillons des démonstrations dans les épiceries aux cartons imprégnés de parfum dans les revues, même s'ils puent. Tout, mais absolument tout, était rangé dans des vases, pots, urnes symbolisant la race ovine. On ne pouvait déposer son œil à l'intérieur d'un pied carré sans y rencontrer mouton, brebis ou bélier. J'ai eu envie de voler le toutou-mouton au sourire extasié qui semblait oublié dans le coin de la fenêtre. Il me rappelait une de mes photos de petite école, où j'avais voulu faire dans la béatitude ou je ne sais quoi, en tout cas, j'y ai l'air d'être sous l'effet de *l'extasy,* bien que cette substance n'existait pas encore.

Parc régional du Bic, ampoules incluses

    — Regarde, ils offrent une balade coucher de soleil en minibus ! Pourquoi on ne s'assoit pas tout simplement en attendant que le soleil se couche ?

Ça ne devrait pas tarder et ça nous économisera toute cette fatigue.

— Je rêve, dites-moi que je rêve. Allez, paresseuse, le soleil ne se couche pas avant six heures. Tu n'as pas mis de bas dans tes espadrilles ? Tu vas te faire des ampoules, qu'est-ce que tu as pensé ?

— Ça fait une plus belle cheville nu-pieds. Je n'aime pas avoir des boudins qui me les encerclent.

— Je n'en reviens pas. Ne viens pas te plaindre quand la sueur commencera à s'infiltrer entre tes orteils. Tu n'es pas au courant qu'il existe des bas qui s'arrêtent au ras de la chaussure, coquette ?

Maman marchait d'un pas vif. Elle avait vraiment l'air en forme dans ses vêtements de plein-air « high-tech » conçus pour la femme de quarante-neuf ans d'aujourd'hui. Les hommes seuls se retournaient sur elle ou lui disaient « bonjour », mes sveltes chevilles ne leur faisant visiblement aucun effet. Ça me désolait, car j'aime bien le style randonneur, surtout ceux qui portent des chapeaux Indiana Jones, ils me rassurent. Je suis certaine de ne jamais me faire attaquer par un ours avec un de ces types. Il lancerait son chapeau pour distraire l'animal, me prendrait sur son dos (je m'accrocherais à une des multiples pochettes pratiques réparties sur l'étendue de son corps) et prendrait la poudre d'escampette en effleurant à peine le sol grâce à ses semelles Vibram. J'ai fait semblant de ne pas souffrir le martyre en escaladant la surface rocailleuse pour atteindre le pic Champlain, mais une fois rendue en haut, j'ai dû admettre qu'elle avait raison : deux ampoules saignantes me chauffaient les talons à vif. Maman avait bien sûr tout prévu. Elle a désinfecté mes plaies et pansé mes blessures sans me rebattre les oreilles avec mon inconscience, ma coquetterie, ma stupidité, disons-le. J'étais soulagée. Une ampoule, ça met tout autant les nerfs que la peau à vif. Un type s'est pointé, le genre Indiana Jones, justement.

— Pas de bas, hein ? Ma dernière blonde avait cette manie, pas surprenant qu'elle détestait la randonnée.

— On ne pensait pas marcher autant, en fait. Mais la beauté du paysage nous a emportées. Quel temps magnifique. Et quelle vue !

Ma mère secouriste. Non mais, de quoi il se mêlait, celui-là ? Et avait-il besoin de nous signaler son statut matrimonial ? La drague est un sport de deuxième ordre et débile qui sévit jusqu'au faîte des plus hautes montagnes.

— Tenez, j'ai une paire de bas de rechange, vous pouvez la prendre. Oui, oui, j'en ai des tonnes du même genre. Vous avez de la chance, celle-ci n'a pas de trou.

J'ai opté pour le mode « mute ». J'ai pris les bas sans discuter et les ai enfilés en écorchant mon orgueil. Maman souriait, elle délirait intérieurement, c'est clair. Je pouvais la comprendre, j'adore aussi me payer la tête des gens. Les bas étaient évidemment trop longs, ce gars portait du douze. Ça faisait un gros paquet au bout des orteils, et ils s'enroulaient autour de mes chevilles comme des bouées. Adieu la grâce et l'élégance. Mais le tissu offrait à mes plaies un coussin confortable. Il a offert de nous accompagner. Je m'en fichais bien à ce stade. Je me sentais pitoyable avec mes jambes fines ornées de ces grotesques replis sur mes chevilles. J'ai pensé à l'Homme-Éléphant, mais ça ne m'a pas consolée. Je marchais dix pieds derrière et pouvais contempler le paysage à ma guise sans avoir à me payer un discours sur la géologie et les organismes du littoral. Il en pinçait pour maman, sans le cacher. Il ne se rendait pas compte qu'elle avait douze ans de plus que lui? Ils formaient un couple parfait, à les voir de dos. Même souplesse dans la démarche (mêmes bottines Merrell), même naturel dans la gestuelle (même accoutrement Chlorophylle), deux êtres confortables dans la vie (même capacité à apprécier le moment présent). Moi, le canard boiteux, je me sentais encore aux prises avec des débris de coquille.

— Dis donc, maman, tu as pensé à appeler ton mec avant de partir tout à l'heure?

— Je l'ai fait, il n'était pas là. Pourquoi ça t'intéresse tout à coup?

— Pour rien, je pensais à ça. Ce n'est pas un amoureux de la nature, lui aussi?

Je ne pouvais voir la tête du prétendant. Dommage, car il me semblait que sa structure musculaire s'était légèrement effondrée sur elle-même. Maman a conservé son naturel et a fait preuve de tact en reprenant la conversation avec le gars comme si elle avait été interrompue par un maringouin un peu fatigant, tout au plus. C'est bien ce que j'étais, au fond. *Bzzzz.*

Nous nous sommes débarrassées du gars aux portes du parc. Il était scotché à ma mère, pas du tout gêné par le fait qu'elle ait un ami. Je lui ai rendu ses bas en les enfouissant dans ses grosses pattes, ils étaient moites tout autant que la paume de ses mains. J'étais épuisée, surtout d'avoir boudé pendant la moitié du trajet.

Maman a décidé du restaurant où nous irions manger. Dès que je me suis retrouvée sur la banquette, j'ai commencé à critiquer. Le fond sonore était composé de hits de ces comédies musicales apparues comme une urticaire incontrôlable au Québec depuis les dernières années. Je souffrais le martyre. Ils y sont tous passés : Ziggy nouvelle version aucunement améliorée, chanté par une nouvelle *croasseuse*, la litanie de Roméo et Juliette si brillamment intitulée « Aimer », puis les horribles beuglements du gars qui écorche de pauvres cathédrales, et enfin l'autre enroué au nom idiot qui bêle « Belle », et ainsi de suite.

— Tu as fini de te plaindre ? Tu es donc incapable d'endurer quoi que ce soit ?

— Je peux endurer bien des choses, mais ça non. Tout ce dont sont capables ces pseudocompositeurs, c'est de faire des rimes. C'est le secret de leur succès, les rimes. J'en faisais plein dans mes poèmes quand j'avais six ans, tu adorais ça alors, tu sais de quoi je parle. Ils concoctent par-dessus leurs fichues rimes des mélodies insipides qui s'insinuent dans ton cerveau et ne te quittent plus pendant des heures, c'est affreux ! Ça te gratte l'intérieur de la calotte crânienne comme s'il y avait un troupeau de fourmis en Doc Martens qui s'y bousculaient pour trouver une sortie de secours par les oreilles. Mais les oreilles sont infectées alors y a rien à faire ! Je vais m'endormir avec « Aimer, c'est ça qui est le plus beau, aimer c'est monter plus haut ! » Ah que c'est édifiant ! Je me demande où ils sont allés dénicher ça, c'est si recherché ! L'enfer pour moi serait d'être ligotée à une bûche qui ne me brûlerait pas vive tandis qu'on jouerait « non stop », ces psalmodies qui perforent le crâne comme le supplice chinois de la goutte d'eau.

— Écris. Écris et laisse faire les rimes ! Quel gaspillage de déblatérer comme tu le fais sans cesse au lieu d'écrire ! Tant de paroles perdues ! Buvons à ton talent de futur écrivain !

Ah ça oui nous avons bu. Il le fallait bien, pour endurer cette torture sonore qui s'éternisait. Je me saoulais avec ma mère pour la première fois de ma vie. Nous avons ri, tellement que le serveur est venu nous avertir de montrer un peu plus de discrétion, des clients à l'ouïe exagérément fine s'étaient plaint. C'est vrai que je ris mal.

— Vous ne vous êtes pas gêné, vous, pour nous engloutir sous vos comédies musicales tout à l'heure ?

— Ah ! Un instant ! Je n'ai rien à voir dans le choix musical. Pitié, ne me mêlez pas à cela ! Je m'insonorise les tympans avant de commencer mon *shift*. S'il n'en était que de moi, je passerais *Coldplay* toute la soirée, mais je me ferais mettre à la porte !

— Ouah ! Tu aimes *Coldplay* ? Tu connais *Mercury Rev* ? *Eels* ? *Flaming Lips* ? Maman, je veux l'épouser ! Tu veux m'épouser après ton chiffre ?

— Je suis déjà épousé, sinon j'aurais dit oui. Avec ta mère, par contre. À moins qu'il ne s'agisse de ta sœur ? J'aime les femmes plus âgées que moi, même si elles ne comprennent rien à mes choix musicaux.

Il a ri et j'ai ri, pour ne pas perdre la face. C'est heureusement facile de rire de soi, de l'autre et de n'importe quoi, quand on est ivre.

Après cette nuit de beuverie inattendue, j'ai dormi comme un bébé, le bébé que je suis.

*

— Oh, madame Marthe ! Ce que vous êtes charmante ce matin !

Notre hôtesse était quasiment à genoux à flatter le t-shirt de maman, lequel arborait une tête de mouton à faire craquer un loup. Le mouton disait : « Caresse-moi ». Sa toison en relief attirait la main, mais étant donné l'endroit où il se lovait, il était plus décent de se retenir. La dame du gîte ne se gênait pas, elle.

— C'est trop mignon. Il m'en faut un !

En effet, ça manquait à son imposante collection. Maman les mettait tous dans sa poche. Avec ou sans mouton, elle était irrésistible, force m'était de le reconnaître. Pourquoi ? Elle regardait les gens, elle les regardait vraiment, quels qu'ils soient, dans les yeux, les deux. Elle ne scrutait pas le front, les joues, les lèvres, comme les gens le font souvent, ce qui donne l'impression qu'on a quelque chose là où il ne faut pas. Les yeux, elle fixait dans les yeux. Pas facile, très impliquant, en fait. Elle procurait à son interlocuteur le délicieux sentiment de son existence, de son importance, s'effaçant derrière lui, se glissant à l'arrière-plan. Cela, je ne l'ai compris que plus tard ; à ce moment de ma vie, j'étais occupée à regarder en dehors plutôt qu'en dedans, de moi et des autres.

Le couple français assis à la table d'à côté fleurait la mauvaise haleine et était subjugué par le naturel de maman et sa capacité à dire ce qu'il fallait quand il le fallait. Et à en juger par leur air hébété qui suivait chacune de mes interventions, ils étaient tout autant fascinés par ma capacité à dire ce qu'il ne fallait pas. Je me sentais comme un monstre d'imperfection à côté de ma sainte mère. J'étais quand même happée par la joie de vivre qu'elle dégageait, l'ivresse d'être là, juste là. Cela me changeait radicalement de tous ces déprimés chroniques qui fréquentaient ma vie. Je ne lui en voulais pas d'être le centre d'attraction. Pire, oui, pire, j'étais fière d'être la fille de cette femme. Habillée ou nue, ma mère était pour moi un sujet d'observation complexe. Je la voyais sous des angles inhabituels, ou avait-elle toujours été cette femme inhabituelle ?

Ces Français me fatiguaient, un peu, beaucoup. Ils ramenaient tout à eux. Le gars, surtout, qui commençait toutes ses phrases par : « C'est tout à fait comme moi, je… ». J'avais envie de lui planter ma fourchette dans le front. Sa fatuité manifeste m'empêchait de regarder ce qui se formait dans mon esprit, des embryons de pensées de type « analyse-moi ça » et qui me demandaient donc beaucoup d'énergie et de concentration. Le babillage incessant de ce couple de troglodytes perturbait le cours de ma réflexion. Je mâchais longuement chaque bouchée pour ne pas répliquer à leurs commentaires insipides concernant ces satanées baleines qu'ils n'avaient pas vues lors de leur excursion sur le fleuve. Je comprenais pourquoi les bélugas étaient restés cachés.

Alors que ma mère et moi n'étions ensemble que depuis deux jours, j'avais l'impression d'être partie depuis déjà une semaine, dans les apparences, une éternité. J'avais quitté la ville sur un pied de guerre, remplie d'appréhensions, et voilà que je m'amusais presque. Je m'étais servie de maman comme d'un moyen pour arriver à mes fins et je me surprenais à faire comme tout le monde : l'aimer. Moi qui jusqu'ici m'étais appliquée à éviter cela. La chanson « Aimer » s'est imposée à mon esprit. Je l'ai chassée d'une bouchée d'omelette.

J'étais envahie par cette sensation qui survient lorsqu'on est près d'une personne vingt-quatre heures sur vingt-quatre, alors que le temps s'étire et semble en disproportion avec ce qu'il est en vérité. Toute ma vie, je n'avais pu tolérer une présence à mes côtés que de manière sporadique. Pas difficile d'expliquer pourquoi je n'avais pas de relation durable. Ce jour-là, se dessinaient les prémisses d'une relation avec ma mère. J'ai eu peur. Je me suis excusée auprès du pingouin et de sa femme et suis montée à notre chambre.

J'ai pleuré comme un veau.

Direction Anse-aux-Griffons, et puis… Ah non, pas lui !

— M'man, dis-moi que je rêve. Tu as vu ça ?

— Je ne suis pas aveugle, chérie. On est à Cap-Chat.

— Je sais, mais regarde !

— Ce sont des éoliennes. Elles génèrent de l'électricité.

— C'est géant ! On dirait de la science-fiction. Je nage en plein Isaac Asimov.

— Bradbury ?

— Van Vogt !

— Frederick K. Dick ?

— Philip, maman. Et Heinlein !

— Hummm…Lovecraft ? Tolkien ?

— Non, là tu es dans les patates, mom. Mais j'avoue que je suis impressionnée. Tu as lu tes grands classiques de la SF ?

— Non. Mais j'époussetais les étagères de ta bibliothèque. Et j'ai de la mémoire. Il n'y a pas à se demander d'où te vient toute cette imagination. À cette époque, je donnais dans le spirituel : Krishnamurti, Aurobindo, tous ces trucs que j'avalais sans les digérer.

— Le spirituel, quant à moi, c'est aussi de la science-fiction. J'aimerais bien aller voir ces choses de près. On n'est pas pressées, hein ? Personne ne nous attend, hein ? Dis oui, hein ?

— Arrête de dire hein. On y va.

— Hein ?

Je ne me suis jamais sentie minuscule. Ça m'a fait du bien. Là, j'avais vraiment raison de me sentir petite, mais pas les autres fois. Enfin, oui, tout de même. Les hélices des éoliennes tournaient silencieusement au gré du vent, mues par une grâce angélique. J'étais éblouie. J'ai pirouetté en battant des bras, le regard perdu dans le ciel, allongeant ma colonne vertébrale au maximum. J'avais envie de grandir.

J'ai dormi jusqu'à Ste-Anne-des-Monts. Ça épuise, se laisser aller au bonheur. Je me suis réveillée, la bouche pâteuse. J'avais oublié de me brosser les dents après le déjeuner des moutons, perturbée que j'étais, et tendue à force de retenir les brillantes et cinglantes réparties que j'avais stoppées au niveau de ma gorge pour ménager les pauvres Français et ne pas leur donner une mauvaise impression de la planète Québec par ma franchise éhontée. Ça génère un mauvais goût dans la bouche, le non-dit, c'est connu.

— C'est affreux, on dirait le boulevard Tascherereau. C'est ça, la Gaspésie ? Fais-moi rire.

— On n'est qu'à Ste-Anne-des-Monts. C'est comme le passage que le bébé doit traverser entre l'utérus et la sortie, alors qu'il se fait écrabouiller tous les os du crâne pour essayer de se frayer un chemin dans ce conduit dix fois trop petit pour lui, pour enfin arriver à l'air libre et prendre sa pleine expansion.

— Ah, parce que tu penses qu'une fois sorti, c'est le paradis ? Plutôt l'enfer qui commence. Je n'ai pas hâte de voir ce qui nous attend au bout de ce boulevard.

Je me trompais, comme souvent. Et maman était drôle, comme toujours. Et je me retenais de rire de ses mots d'esprit, encore. Je n'étais pas tout à fait dégelée. De fait, la route s'est transformée pour devenir une longue et interminable réglisse de bonheur, une corde à danser dans laquelle jamais on ne se prend les pieds, un cordon ombilical qu'on ne regretterait pas de n'avoir jamais pu couper... je délirais. À notre gauche, la mer s'étendait, paresseuse, tandis qu'à notre droite, les falaises constellées de chutes délicates et vaporeuses faisaient regretter d'avoir trop regardé à gauche. De subtiles beautés se manifestaient à chaque détour. J'étais ivre de joie, je voulais m'arrêter à tous les cinquante pieds. Maman aussi était heureuse, je le voyais, des tas de rides minuscules se formaient au coin de son œil droit et à la commissure de ses lèvres. Elle riait en silence. Ce qu'elle était belle, ce que tout était beau ! Beau, je n'avais que ce mot en tête.

On s'est arrêtées à Mont Saint-Pierre, pour contempler des types cinglés se jeter en bas d'une falaise. J'en avais des frissons d'horreur, d'admiration et d'envie. Ça devait être si paisible là-haut, l'émetteur de pensées à *off* (chose impossible en ce qui me concerne). Maman en a profité pour aller écouter ses messages sur son répondeur. Je suis restée assise sur le bord de la plage, hypnotisée par ces hommes-oiseaux, ma foi fort virils, de vrais ptérodactyles. Maman est revenue de la cabine de téléphone, radieuse. J'ai flairé quelque chose de pas comique. Je suis sensible, des fois. Comme de fait :

— Jean va venir nous rejoindre pour un jour ou deux. Un copain à lui vient le reconduire à bord de son avion personnel et le déposera à Gaspé. De là, il louera une voiture. Je lui ai dit qu'à la fin de la journée nous serions au Motel du Soleil Levant à Anse-aux-Griffons. On pourrait s'y installer pour quelques jours et de là, aller un peu partout jusqu'à Percé avant de revenir tranquillement à Montréal. Ça ne te dérange pas, j'espère ?

— Qu'est-ce que tu veux dire, un jour ou deux? Deux ou un? Et il va coucher dans notre chambre? Et quoi encore? C'est nos vacances!

— Lisa! Ne fais pas le bébé.

— Il est vraiment accroché! se taper tout ce chemin pour un jour ou deux. Non mais, qu'est-ce que tu lui trouves?

J'allais dire: « Qu'est-ce qu'il te trouve? », mais ça n'aurait eu aucun sens, car je pouvais fort bien comprendre. Autant que le contraire d'ailleurs. Mais j'étais bouillante d'une rage venue si subitement que j'avais du mal à la contenir et à me raisonner. Je m'apprêtais sûrement à dire des mots que j'allais regretter sans pour autant arriver à m'excuser assez vite pour réparer les dégâts. Je voulais ma mère pour moi toute seule. Mon Dieu! j'étais jalouse.

— Lisa, tu es une adulte et moi aussi. Qu'il vienne passer quelque temps avec nous, je dis bien avec nous, ne nous empêchera pas d'être ensemble toi et moi.

Je ne sais pas comment j'ai fait pour ne pas pleurer. Est-ce qu'elle lisait en moi? Avais-je un plexiglas en guise de boîte crânienne? Pouvait-on lire mes pensées jusqu'au Rocher Percé? On se l'est fermé, moi et ma trappe à langue de vipère, et j'ai pris le volant, pour me concentrer sur autre chose que ma misère inhumaine. Je souffrais, c'est fou ce que je souffrais. Qui aurait fait autant de chemin, dans quelque mode de transport que ce soit, pour venir me rejoindre un jour ou deux?

Je n'ai rien vu du trajet magnifique qui a suivi. Rien vu des mignonnes sculptures de pierres rassemblées, ces *inukshuks* bâtis par des voyageurs créatifs, alignés comme des totems à la gloire de la mer tout le long de la route. Rien de ces petits riens qui auraient suffi à atténuer ma peine, à pacifier mon cœur de petite fille blessée, abandonnée. Une adulte, moi?

— Tu n'as rien à me dire, Lisa, bébé?

— Non. Je boude.

— D'accord. Mais ça te fait une mauvaise tête, je t'avertis.

— Ce n'est pas dans cette voiture que je vais rencontrer l'homme de ma vie, s'il en est un, alors je m'en fous.

— Tiens, tu parles.

— J'ai fini.

C'est très pénible de bouder avec une personne qu'on aime. Mais il faut croire qu'à ce moment, mon orgueil était plus important que mon amour. J'étais attachée à la familiarité de mes comportements, ces vieux agrégats qui m'empêchaient de m'élever au-dessus de mes limites, qui m'y confrontaient douloureusement. Je me confinais à mon ancien rôle, c'était encore celui dans lequel j'obtenais les meilleurs résultats. La preuve : cette tête « guerre totale » qui exprimait si bien ce que je ruminais. Pauvre maman, pauvre moi, pauvre nous. Si j'avais su ce que j'allais bientôt apprendre, j'aurais tout fait pour extirper de moi chaque parcelle de ressentiment, de manière à ne rien perdre de chacune des minutes de ce voyage.

Le Motel du Soleil Levant portait bien son nom, pour ce qui allait être du couchant en tout cas. Déjà, la lumière se reflétait sur la mer et laissait entrevoir ce qu'il en serait du spectacle de fin de journée. Ce moment que j'appréhendais plus que tout, puisqu'il signalerait le début de la fin du couple maman-moi, pour un jour ou deux. Jean est arrivé juste à l'heure des *Simpson*. J'étais prostrée devant la télé et je me retenais de rire des bouffonneries pour ne pas compromettre l'édification de mon profil bougon, plutôt convaincant à ce stade de la journée. Je l'ai salué à son entrée dans notre chambre par un mince sourire aux lèvres pincées, moi qui ai de si belles babines lorsqu'elles sont détendues. Maman et lui se sont discrètement éclipsés pour s'embrasser à *bouche-que-veux-tu*, et je les ai vus se diriger vers un banc. Jean enlaçait maman qui l'enlaçait à son tour. J'ai fondu en larmes. Ça m'a soulagé d'un poids. Je trouvais que je pleurais un peu trop depuis le début de ce voyage, plus que depuis le jour de ma naissance, ce jour où après m'être presque rompu le cou pour m'extirper du ventre de maman, j'ai fait une crise restée dans les annales du département des naissances de l'hôpital. Il est clair que je ne voulais pas vivre la vie qui m'attendait. Déjà, j'étais lucide. Et pessimiste. J'ai crié à maman que je prenais la voiture pour retourner à Montréal. Elle m'a approuvée d'un geste fluide de la main qui m'a rappelé le mouvement souple des hélices des éoliennes. Jean m'a envoyé un baiser et j'ai fait semblant de ne pas le voir. J'ai foncé vers Cap-des-Rosiers, une des destinations entourées par maman dans son guide. Je n'avais pas envie de voir ce phare plus qu'un autre, mais il me fallait bien un but. House of love chantait *Destroy the heart she says*. Je leur ai cloué le bec pour mettre la radio locale. On annonçait une fête le soir même à la marina d'Anse-aux-Griffons, près de l'usine à crevettes puante, pardon, odoriférante, animée par de petits groupes tout aussi locaux. Un pansement maison pour mon vague à l'âme. Pas question. Je me coucherais à l'heure des poules.

Je me suis installée sur une butte. Il n'y avait pas un chat à cette heure pourtant onirique. Tout le monde devait être en train de s'embrasser sur un banc. J'ai feuilleté le guide de voyage et je suis de nouveau tombée sur la note de maman. Il y avait un ajout, biffé : « Je suis en vacances avec ma fille pour la première *et dernière* fois… ». Et dernière fois… Ça m'a rendue perplexe. Mis à part mes quelques écarts de conduite, il me semblait qu'on s'amusait bien. J'étais capable d'être bien plus exécrable. J'ai fait le tour du phare deux fois sans le voir et j'ai décidé que le temps de bouder était terminé. Ma nouvelle force de caractère m'a impressionnée. J'étais sur la bonne voie. J'ai roulé à fond de train jusqu'au motel pour trouver une note écrite par la main de maman : « Sept heures. Viens nous rejoindre au resto

La cuisine à Jeannine, c'est tout à côté. Je t'aime ». Je t'aime, moi aussi, merde.

Maman était blanche comme la nappe et Jean lui caressait la joue. J'ai pensé que ça ne lui faisait pas à elle non plus, les gars, j'ai haï son mec, mais je me suis tout de même catapultée jusqu'à leur table.

— Momy, ça va ? Tu es livide.

— Oui, oui, juste un malaise, ça va très bien.

Je n'en croyais pas un mot. Elle avait l'air d'avoir avalé une bouteille de lait de magnésie. J'ai caressé l'autre joue et j'ai regardé dans les yeux de Jean, ces fichus beaux yeux : ils mentaient moins que ceux de ma mère. Je n'ai pas aimé ce que j'y ai lu : inquiétude, angoisse, anxiété. Tous ces trucs que l'on préfère ne pas ressentir envers une personne qu'on aime. Maman a bu son verre d'eau d'une traite et a commencé à lire le menu malgré nos mains qui continuaient à la caresser.

— Arrêtez un peu de me malaxer la peau à la fin !

— On te fait reprendre des couleurs, maman. Tu es rose d'un côté et grise de l'autre. Je n'ai pas eu le temps de laver mes mains et j'ai touché toutes sortes de choses sales et poussiéreuses à Cap-des-Rosiers, tu sais, le phare ? Il n'y avait pas un chat, mais c'était archi-joli, il faudra que vous y alliez au lever du soleil ou au coucher demain soir, si Jean est toujours là. Qu'est-ce que vous avez choisi ? Je n'aime pas tellement les fruits de mer, je pense que je vais prendre le poulet en cocotte et toi Jean ? Je vais aller me laver les mains, tu pourras me commander une bière si la serveuse finit par nous voir.

Ils me regardaient, abasourdis. Je me suis levée comme un ressort et me suis dirigée vers la salle de toilette. J'ai frotté mes mains propres sous le jet d'eau tiède en les savonnant comme si je voulais en faire lever la peau. Hypnotisée par la mousse, j'ai vu ma mère, ma mère blanche, toute javellisée de sa vitalité naturelle. Je me suis soudainement rappelé les petites bouteilles de médicaments qu'elle s'empressait de ranger dans sa trousse de produits hygiéniques au coucher. Il ne m'était pas venu à l'esprit que maman prenait des médicaments. Je l'ai si souvent entendu dire : « Il faudra que je sois à l'article de la mort pour avaler la moindre petite pilule, aussi jolie et rose soit-elle ! » Je suis devenue pâle à mon tour et j'ai dû me pincer les joues au sang pour ressortir des toilettes avec une mine normale. Mes mains étaient, elles, anormalement désinfectées. J'ai bu ma bière en ne quittant pas maman des yeux une seconde et, de temps en temps, je regardais Jean qui, lui non plus, ne la lâchait pas du regard. Elle devait se sentir transpercée, ou alors absolument adorée.

— Quelqu'un a envie de se faire humilier au Scrabble tout à l'heure ?

— Oui !

Nous avons répondu en cœur, Jean et moi, plus fort que nécessaire. Nous aurions dit « oui » à n'importe quoi.

Maman est un as à ce jeu, je suis presque pourrie et j'ai bien vu que Jean se situait dans l'intermédiaire. Le genre «je joue pour jouer, pour m'amuser, pas pour gagner». Rien de plus ennuyeux, cette absence d'esprit compétitif qui dénote, au fond, une personnalité moyenne. Parfait, cela démolissait l'aura de perfection dont je l'avais doté lors de notre première rencontre. Moi, au jeu, je m'obstine, seulement parce que je déteste perdre. Des lettres impossibles s'alignaient sur mon présentoir.

— Lisa, arrête de gémir, tu nous déconcentres. Tiens, « *zeugme* ». Deux fois dix, plus sept, fois deux, ça fait cinquante-quatre.

— Zeugme ! Non mais, qu'est-ce que ça mange en hiver ? Tu nous fais marcher ! Il faut la surveiller, Jean. On n'a pas de dictionnaire pour vérifier.

— Zeugme signifie réunion, jonction. Tiens, comme ce soir, par exemple.

— Bon ! Scrabble psychologique maintenant ! Alors, je mets « *chiez* », merci pour ton *z*. Trente-huit points s'il vous plaît madame maman. Hé ! Hé ! Jean, c'est à toi, si tu ne dors pas.

— *Crapule*. Mot compte double, vingt-deux points.

— C'est pas seulement psychologique, c'est autobiographique, ah, ah !

—Méchante fille. L'as-tu seulement éduquée, Marthe, ou a-t-elle fait ça toute seule dans la rue ?

— Je prends le compte triple, *déçue*, vingt-sept points. Non. Seulement psychologique, jusqu'ici.

— Déçue? Quoi, tu n'aimes pas notre partie? On s'amuse comme des folles, pardon, fous! «*Dingue*». Seulement huit points pour ce mot dingo. Mais il est trop drôle et il dit tout.

—Qu'est-ce qu'il y a, Lisa? Tu sembles un peu agitée. Peut-être devrais-tu arrêter de manger ce chocolat, tu sais que ça perturbe ton système nerveux.

— Je connais une situation qui le perturbe plus que ce chocolat, si tu veux savoir. Je suis là avec une espèce de beau-père à peine plus âgé que moi qui s'immisce dans nos vacances, et je suis sensée faire comme si de rien n'était! Laisse-moi me bourrer tranquille au moins, non mais!

Jean s'est appuyé contre le dossier de sa chaise et il a croisé les bras, le visage impassible, neutre. Il attendait la suite, comprenant qu'il s'agissait là d'un combat mère-fille dans lequel il était préférable de ne pas s'impliquer s'il ne voulait pas se prendre une couple de claques. Je me sentais mal, je savais fort bien que j'allais être méchante, mais il était trop tard, il fallait que « *ça* » sorte, « *ça* » équivalant à plus que la pointe de l'iceberg. Je savais maintenant que maman n'allait pas bien, je savais que la manière dont je me conduisais était tout à fait inadéquate, mais malgré tout, c'était irrépressible. Je suis ainsi, mal faite. Dès qu'une émotion se pointe, je dois l'exprimer, quitte à tout dévaster autour de moi, à créer un vide immense dans lequel je me retrouverai encore plus seule qu'avant.

— Où il est mon vrai père, hein?

— Je ne sais pas, Lisa. Je ne sais même pas s'il est vivant. Tu n'as jamais voulu en parler d'ailleurs. Pourquoi maintenant ?

— Parce que. Toi non plus tu n'as jamais voulu en parler. Alors pourquoi pas maintenant ? Je refuse de penser que je suis venue au monde par la graine du Saint-Esprit.

— Oh ! tu sais très bien qu'il ne s'agit pas d'une graine si saine, n'est-ce pas, sinon il ne serait pas loin, je suppose. Ton père souffrait de dépendance à l'alcool et aux drogues. Quand j'ai réalisé qu'il serait néfaste de t'élever à ses côtés, je l'ai quitté. Je n'avais pas envie de le ramasser à tous les matins, de prendre soin d'un autre bébé. J'étais moi-même un bébé, à vingt ans.

— Alors, je viens d'un type qui se *shootait* ? J'ai ça dans le sang ? Pas besoin de se demander pourquoi je suis incapable de maîtriser mes émotions !

— Je ne sais pas s'il y a un rapport. Je pense qu'il s'agit d'autre chose, de toi, tout simplement, de ce que tu as à apprendre, à travailler dans ta vie, pour te faire moins chier, et pour moins faire chier les autres par le fait même. Comme on le fait tous.

— Comme personne ne fait, tu veux dire. Deux fois « chier » dans la même phrase, ce que tu parles mal ! Ça paraît que c'est toi qui m'as élevée, en fin de compte. Allons-y dans le psycho-pop tant qu'à y être. Je n'ai pas eu de père, j'en cherche un depuis ma naissance, et si je fais le recensement de tous les mecs insensés avec lesquels j'ai frayé, on

dirait qu'ils sont tous celui avec lequel tu m'as con-
çue. C'est un peu simple, non ?

— C'est possible et je le regrette. On ne peut
changer le cours des choses. Tu penses que ça a été
facile pour moi ?

— Pourquoi pas ? Tu souriais tout le temps.
Une vraie madone.

— Tu aurais préféré que je te montre l'autre
réalité ? Si j'ai choisi de sourire malgré tout, c'était
pour toi.

— Merci. Mais il semble que ça a eu l'effet contraire de celui escompté.

Nous n'avons plus rien dit pendant quelques
minutes. Jean s'est rapproché de la table et m'a regar-
dée dans les yeux. J'ai eu peur qu'il en sorte des
rayons laser qui me perforeraient les orbites, pire,
qu'il ne se mette à parler. De *ça*. De l'autre chose,
de celle dont je ne voulais pas parler encore.

— Ta mère est malade, Lisa. Je pense que tu
dois le savoir. Elle va avoir besoin de nous bientôt.
Alors, il faudrait peut-être que tu sortes pour un
temps de ta petite personne, aussi souffrante soit-
elle, pour te pencher sur la sienne. Vous pourrez
régler vos problèmes au fur et à mesure, en temps
et lieu, vous aurez le temps. Je suis venu parce que
j'aime ta mère et que je veux passer le plus de
temps possible avec elle. Que tu le veuilles ou non,
je serai là, alors autant t'y faire. Je pense qu'il serait
plus intelligent de se serrer les coudes plutôt que de
se battre. On va avoir besoin les uns des autres.

Demain, nous irons ensemble faire une promenade au parc Forillon, puis je repartirai pour Montréal. On se reverra là-bas.

Il était si gentil, et tellement meilleur que moi. Ma peau s'est mise à me picoter et j'avais l'impression que mes viscères se bousculaient pour essayer de changer de place. Je ne devrais jamais me bourrer de chocolat et je le fais inévitablement dès que la situation est incontournable, comme pour la fuir alors que ça l'aggrave, de toute évidence. Maman fixait la planche de jeu en jouant machinalement avec son *K*. Une telle pitié s'est emparée de moi que je n'ai pu l'exprimer qu'en sortant dehors pour me trouver loin de l'objet de ce sentiment intolérable. C'était moi tout craché. L'air sentait bon, tellement bon et frais. Il régnait un calme total et des milliers d'étoiles assoupies faisaient briller le ciel. On pouvait voir la lueur du phare de Cap-des-Rosiers. Ça m'a rappelé où j'étais. Pas sur une planche où les mots se mettent à raconter notre vie comme on préférerait ne pas la voir, mais dans ma propre vie, celle qu'effectivement je préférais le plus souvent ne pas voir. Maman malade, *malade comment*? À chier, ces vacances de merde.

Parc Forillon, des bas aux pieds

Des fleurs partout, roses, lilas. Un petit chemin en torsade longeant le bord de la falaise, une route plus large pour les randonneurs conservateurs. Un soleil jaune, un ciel bleu, de l'herbe follement verte, des phoques se prélassant sur les rochers, parfois une baleine qui émerge de l'eau couleur acier. Et des gens qui disent «bonjour», certains sourient, d'autres pas. Des couples sans enfants, d'autres qui traînent une ribambelle silencieuse ou hurlante, une petite fille qui court en bondissant derrière un papillon, un papa qui transporte son bébé dans un baluchon. Un Jean, une Marthe et une Lisa : moi. Un trio sans angle mort, une cohésion parfaite, que je n'osais effleurer du bout d'une seule parole pour ne pas risquer d'en déranger l'ordre. C'était magique, comme parfois sont les choses lorsqu'on n'essaie pas de les contrôler, qu'on les laisse vivre d'elles-mêmes. Jean marchait devant moi. Je pouvais regarder ses fesses sans me gêner ni me sentir coupable. S'il était mon beau-père, j'avais le droit de savoir comment il était fait. De temps en temps, je me concentrais sur le paysage, bien entendu, puisqu'il était là, autour des fesses de Jean. Et maman. Je m'attendais à tout moment à la voir s'effondrer, mais elle avançait solidement, comme si hier n'avait été qu'un produit de mon imagination morbide. Maman n'allait pas finir enterrée vivante, ni mangée par un ours, ni brûlée vive, mais d'une maladie dont j'ignorais encore le nom, et dieu sait que je préférais ne pas savoir combien il récoltait au Scrabble. Sûrement très cher.

Nous nous sommes arrêtés dans un champ pour cueillir des framboises. J'en mangeais autant que j'en empilais dans mon petit seau. Je les voulais toutes pour moi, je voulais n'en laisser pour personne, car personne autant que moi n'aime les framboises, c'est certain. Jean et maman sont allés s'asseoir au bord de la falaise : « Viens nous rejoindre quand tu auras mangé tout le champ », et j'ai décidé d'en cueillir pour eux. Les épines écorchaient mes jambes et mes bras, le soleil plombait sur ma peau.

— Vous n'en laisserez même pas une ?

Il était super mignon : j'ai presque renversé mon plat. Il s'est frayé un chemin jusqu'à mon point de cueillette.

— Stop ! C'est ma talle !

— Oh, oh ! On a réservé, à ce que je vois ! De toute manière, il semble que vous ayez tout ramassé, il n'en reste presque plus. Je connais un bon coin, venez que je vous montre. À moins qu'un ogre dans votre genre n'y soit déjà passé.

Il s'appelait Francis et travaillait au parc comme instructeur de kayak de mer. J'ai déjà fait « kayak » au Scrabble, grâce à une lettre blanche, ça m'a valu une fortune. Comme il n'avait rien à faire jusqu'au groupe du soir, il m'a proposé une petite prome-nade sur l'eau. Je l'ai averti : on ne propose pas ça à une handicapée des activités de plein air. Côté fram-boises, je ne donne pas ma place, mais sur l'eau, je suis une lavette. Il m'a assurée qu'il n'y avait aucune inquiétude à avoir. Il me surveillerait de près, ou me servirait de galérien dans un kayak en tandem. J'ai préféré l'idée du solo, il ne me plaisait guère d'être coincée dans le même habitacle que lui sans pouvoir le tripoter un peu. Je l'ai présenté à maman et à Jean. Ils se sont montrés ravis de ma conquête.

Je suis restée figée quand Francis a bouclé bien serré la jupette entourant ma taille, une fois assise dans le kayak. J'ai craint une crise de claustrophobie abdominale. Il a dû se rendre compte que quelque chose n'allait pas, car il a réitéré son offre de prendre un kayak pour deux. Je lui ai assuré que tout irait bien en grimaçant d'un sourire artificiel comme je sais en faire quand c'est le temps de sauver les apparences. Gonflés de sympathie à mon égard, leurs visages écarlates prêts à éclater, maman et Jean se retenaient de s'esclaffer. Ils voyaient bien que la peur m'envahissait et pourtant j'étais encore sur la terre ferme. J'anticipais le pire. Verser à l'envers et me retrouver la tête sous l'eau assez longtemps pour voir défiler mes vies antérieures, chose que j'appréhende plus que tout au monde, car j'ai peur de découvrir n'en avoir eu qu'une ou deux. Ce qui expliquerait le peu d'avancement spirituel, de maturité et de sagesse dont je fais preuve dans cette vie-ci. Ce serait fort décourageant de constater le boulot à abattre si je ne veux pas mourir trop tarte et me réincarner en autre chose qu'un bout de bois. Ça, ou ne pas être capable de donner un coup de pagaie digne de ce nom qui me mènerait là où je veux, c'est-à-dire à deux pieds du bel instructeur. Ça, ou rester coincée à vie dans le *swim-suit* collant et puant. Je suais déjà, mon cœur donnait des coups irréguliers, je regrettais ma compulsion pour les framboises qui avait mis ce type sur mon chemin. Mais je m'effor-çais de conserver mes dents bien en vue dans un magnifique sourire décoratif pour témoigner de ma joie d'effectuer ce périple sans l'aide de personne. Je n'ai pas crié quand Francis m'a poussée à l'eau, à peine un petit « hiiii ! » qui s'est perdu dans les cla-potis des vagues de trois pouces et demi qui percu-taient violemment mon embarcation. J'allais chavirer, dans un pied d'eau. Mais rien de cela ne s'est pro-duit, j'ai gardé mon sang-froid et, avec un port de tête de reine, j'ai donné mon premier coup de pagaie et j'ai réussi à avancer d'un bon centimètre. J'ai forcé comme une demeurée en tentant de dissimu-ler toute l'énergie que je fournissais pour rejoindre les autres qui se dirigeaient à belle allure vers une famille de phoques nonchalants. Échoués là sur leurs pierres luisantes, ils ressemblaient à de gros pneus un peu dégonflés. Je ne voyais pas l'intérêt de s'em-presser pour s'extasier sur cette absence de grâce, surtout que je n'avais guère le choix de prendre mon temps. J'avalais les mètres aussi rapidement que si j'étais assise sur une carapace de tortue, et non dans un kayak ultra-sophistiqué. Je rageais de n'être pas montée avec Francis. Mon orgueil me déchirait les ligaments des poignets et j'avais des douleurs déjà cuisantes dans les épaules et les omo-plates. J'allais sûrement payer cher cet exploit et ne même plus pouvoir me brosser les dents toute seule. Je n'ai rien d'une pagayeuse, sortir mon sac à ordures est un tour de force, mes muscles sont des chapelets de guimauves, les miniatures. Je souffrais le martyre et il fallait que je fasse comme si je m'amusais follement. Yé.

Nous avons pris une bière pour fêter notre activité. Après tout, personne n'était mort noyé ou déchiqueté par un phoque enragé, ça valait le coup de festoyer. Francis était charmant, mais il ne m'intéressait plus. De toute manière, j'arrivais à peine à lever le bras droit pour porter ma bière à mes lèvres. Je ne vois pas comment j'aurais pu faire quoi que ce soit avec ce paquet de muscles, sinon me laisser faire, et ce n'est pas mon genre. Non, je préférais me concentrer sur maman. Elle était tellement jolie, ma vieille maman. Je ne pouvais croire qu'un microbe quelconque avait réussi à s'emparer d'elle. Jean la couvait du regard et je me mis à l'aimer à nouveau, sans effort, ce gars que j'avais cru m'être destiné. Il était à maman, il était pour elle, aucun doute là-dessus. Je ne me suis jamais sentie capable d'aimer sans conditions, l'amour pour moi a toujours été une notion abstraite, confuse. Aimer un animal, d'accord, ça me parle. La souffrance des animaux vient me chercher instantanément. Je ramasserais tous les chats égarés, mais ne me parlez pas d'un type égaré, ça ne m'arrache ni larmes ni compassion. Un animal est démuni, sans ressources, un homme a toujours un nom, une identité, une espèce de cerveau, de conscience grâce à laquelle il peut se débrouiller. Donnez-moi un chat, un chien, je l'aimerai. Donnez-moi un homme, je le ferai souffrir de ne pouvoir l'aimer. Donnez-moi ma mère, je… Merde, on commence seulement à… On commence seulement.

Jean est reparti le soir même. Nous n'avons pas reparlé de la maladie de maman, et je ne n'avais pas le courage d'aborder le sujet avant son départ. Pourtant, je savais qu'il aurait été plus enclin que maman à me renseigner. Maman elle, préférait sourire, comme si de rien n'était. En fait, je ne voulais pas savoir, voilà tout, et l'attitude de maman me réconfortait dans mon désir de déni. Aucune mère ne meurt à quarante-neuf ans de toute façon, non ? Il y a de meilleurs âges pour cela, soixante-huit, quatre-vingt-quatorze, jamais…

Ce furent des adieux joyeux, des baisers fusant de partout et sur tout le monde. Maman tenait ma main tandis que la voiture s'éloignait, emportant avec elle un moment, un petit passage de vie, court, fugace, mais qui avait eu raison de mes ressentiments.

— Demain, nous irons à Percé, nous irons voir ton rocher.

Tout ce que tu veux, maman, tout.

— Oui, maman, d'accord. Mais c'est autant le tien que le mien.

— Tu m'en cèdes une part ?

— Prends-le tout, je ne garde que le trou.

— Tu es trop fine.

Personne ne m'avait jamais rien dit d'aussi gentil de ma vie.

Percé, plus que percé

Nous sommes parties très tôt et un brouillard léger couvrait la route et le paysage. J'adore le brouillard, quand il est à l'extérieur de ma tête. Maman ne parlait pas, cela me convenait. De manière implicite, nous faisions notre deuil de la présence de Jean. Je ne suis pas très habile en matière de deuil. Déjà, toute petite, je remplaçais Pinocchio, ma perruche mâle fraîchement décédée la tête dans son bol d'eau, par Picotine, une perruche femelle braillarde et idiote, et cela subito, quelques heures seulement après le décès du premier. Et ainsi de suite. Picotine par Piccolo, Piccolo par Pépito, le temps de jeter la première et de se rendre à l'animalerie. Une façon éprouvée pour ne pas vivre le vide. J'ai fait ça sans arrêt, avec les hommes. Ce n'est pas ma faute, j'ai été conditionnée ainsi, avec mes oiseaux. Mes défenses sont très bien érigées, de très belles briquettes montées si étroitement les unes sur les autres qu'aucune émotion associée à la douleur morale n'arrive à filtrer entre elles. C'est pratique. Pour ce qui est de vivre l'absence de Jean, qui après tout, n'était pas mort, il en allait autrement. Maintenant, je devais assumer seule la réalité quant à l'état de maman, et même si elle semblait mieux armée que moi pour y faire face, je sentais le poids du non-dit et je me rongeais les ongles au ras du doigt. Maman a libéré sa main droite du volant pour prendre la mienne avant que je me grignote une phalange. Elle s'est mise à parler, enfin, de sa maladie. Elle me l'a racontée comme on raconte une histoire. J'en ai presque oublié qu'il s'agissait de sa vie jusqu'à ce que je comprenne qu'il s'agissait maintenant de la mienne. Elle parlait en regardant la route et en souriant, et peu à peu, le brouillard s'est dissipé. Les côtes de Percé sont apparues alors que je commençais à saisir ce qu'il allait advenir de nos existences, et ça s'est ouvert en moi en même temps que s'ouvrait devant mes yeux le but de mon voyage. Sauf qu'il m'est apparu subitement qu'il ne s'agissait plus du même but. Ça m'a foudroyée et tout est devenu simple, limpide. Je pense que c'est à ce moment que j'ai senti quelque chose grandir en moi, se dilater jusqu'à atteindre des proportions telles que j'ai cru mon cœur inapte à tout absorber sans se fendre en deux. Le Rocher Percé a surgi derrière un banc de brouillard et mon œil a cherché le cratère en son centre. Ce n'est que lorsque j'ai pu pénétrer mentalement dans ce vide qui m'apparaissait si minuscule de loin, mais que je savais gigantesque, que l'espace s'est créé dans mon cœur et dans mon esprit, et j'ai alors eu la certitude que je pourrais faire face à la suite des événements.

— Tiens, ma petite fille favorite, j'ai un cadeau pour toi.

Maman me tendait un cahier qu'elle venait d'acheter dans une de ces affreuses boutiques d'affreux souvenirs où le moindre bout d'efface est hors de prix. C'était un cahier banal, style cahier à anneaux, avec sur sa page couverture une photo hyper cliché du Rocher Percé, nimbé par la lumière artificielle d'un faux coucher de soleil arrangé par un photographe aveugle.

— Merci maman, c'est très laid.

— Je sais. Maintenant, écris.

J'ai poussé un de mes légendaires gémissements « mauvaises lettres au Scrabble » en enfouissant le cahier dans mon sac à dos.

— Quand tu auras fini de gémir, tu choisiras l'activité qui te tente le plus. Apparemment, vu l'heure, nous pouvons soit faire le tour du rocher à pied, soit prendre un traversier qui nous en fera faire le tour et nous emmènera sur l'Île Bonaventure.

— Mes souliers n'ont pas des semelles assez épaisses pour marcher sur des galets coupants, je n'ai pas envie de les percer et d'attraper une infection ou encore de me tordre une cheville, ce qui me forcerait à rester là en attendant que tu ailles chercher des secours, pendant que la marée commencera à monter et que je devrai m'accrocher par les petits doigts à une aspérité du rocher. De toute façon, en chemin tu tomberas amoureuse du secouriste, ou le contraire, ce qui revient au même, et vous m'oublierez et je mourrai, soit ensevelie par les flots, soit dévorée par des cormorans, alors prenons le traversier. Allons voir les fous de Bassan. Ils sont odieux, paraît-il. De véritables carnassiers qui peuvent partir avec un de vos doigts dans le temps de le dire.

— Qui a dit ça ?

— Moi.

Mon petit laïus m'avait ragaillardie et l'avait fait rire. Maman était un bon public pour mes scénarios farfelus et je m'avérais être une bonne raconteuse, avec un penchant marqué, et que je ne pouvais retenir, pour la morbidité. Elle avait probablement raison, j'avais du Stephen King en moi. Un monde fou se bousculait poliment sur le bateau, surtout des touristes français, reconnaissables entre tous à leurs souliers français. Les souliers achetés en France ne mentent pas. Ils ont tous ce je ne sais quoi, ce look unique qui fait qu'on sait qu'ils sont français, je ne suis jamais arrivée à m'expliquer cela. Chose sûre, je ne voudrais pas avoir mon nez dedans, ils sont presque tous portés sans chaussettes l'été. Je sais ce que ça donne, des espadrilles portées nu-pieds, une très jolie cheville, mais un fromage iné-galable. Ils braquaient leurs appareils photo comme des fanatiques dans la même direction, photogra-phiant mille fois les mêmes angles. J'imaginais le diaporama imposé aux amis, lors d'une soirée mémorable de diapositives, en apparence toutes semblables, mais supposées représenter un point de vue différent. Le Québec au pouce près. J'espé-rais des secousses assez déstabilisantes pour les voir tous échapper leur précieux Nikon par-dessus bord. En fait, j'étais jalouse, car j'avais oublié le mien à Montréal. Il y avait une petite houle qui me donnait un mal fou à conserver mon équilibre et à ne pas vomir dans le cou du type devant moi. Je suis nulle en équilibre, ce qui m'a créé des moments de gêne inoubliables en gymnastique du temps de l'école secondaire, alors qu'il fallait avancer le long d'une poutre située à trois pieds du sol tout en affectant la grâce insouciante d'une danseuse des grands ballets classiques. Comment oublier la première fois où on a fait crouler de rire une classe entière (la deuxième, plus glorieuse, étant celle où on a ruiné la vie d'un garçon de quinze ans) en tombant à califourchon sur une telle barre ? Pas surprenant que mon clitoris pose tant de problèmes aux gars lorsque vient le temps de le trouver : il a été écrasé et aplati lors de cette chute.

Tandis que je m'accrochais à la manche de ma mère, un Chinois à l'haleine d'échalote s'appuyait sur mon épaule, laquelle servait également à retenir ma mère qui était en train de perdre son gilet tellement je tirais dessus. J'ai repoussé le Chinois d'un coup de hanche en lui lançant mon regard « guerre totale », mais ça n'a pas suffi. Pour une des rares fois que je venais en haute mer, je n'avais pas envie de respirer de l'échalote. J'ai un nez de beagle, je pourrais déceler les valises contenant des petits bas puants dans les aéroports. Maman m'a distrait de mes considérations olfactives en me signalant que ce pour quoi j'avais fait des kilomètres se tenait là, devant moi, et que je semblais être à des lieues. C'est un fait, je m'en fichais un peu maintenant, ce qui relevait de l'absurde total. Maintenant que j'y étais, j'étais ailleurs. Comme si j'avais déjà vu ce qu'il y avait à voir dans ce voyage et que ça n'avait rien à faire avec le Rocher Percé. Comment expliquer cela à maman ? Comment me l'expliquer moi-même ? J'ai pris maman par les épaules, j'ai positionné mon corps pour lui servir d'appui et me suis concentrée sur le rocher que le bateau contournait pour nous en montrer tous les angles. J'étais assourdie par les cliquetis des appareils photo. J'ai aussi une ouïe dramatique, je peux entendre le voisin éteindre sa lampe de chevet si je ne suis pas déjà endormie de mon côté du mur. Le Chinois fatigant m'a demandé de le photographier avec le rocher en fond. J'ai pensé lui couper la tête en le cadrant, mais je me suis rappelé que j'étais « trop fine » alors, j'ai assez bien fait ça en retenant mes pulsions destructrices et vengeresses. Il ne manquera que le rocher, mais s'il a du discernement, il sera d'accord avec moi qu'un beau fond bleu uni lui fait une meilleure tête.

À l'approche de l'île, il m'est apparu évident que seul un attroupement de milliers de fous de Bassan pourrait suffire à enterrer mes récriminations lorsque je suis en pleine forme pour critiquer, ce qu'aucun amoureux, même doté de la voix la plus tonitruante, n'a jamais réussi à faire. Je ne m'entendais plus penser, j'étais battue sur un terrain qui m'appartenait, le *chialage*. C'était très impressionnant. Je me demandais ce sur quoi ils pouvaient bien argumenter. « Donne-moi ce bout de falaise, il est à moi... Tu as fais caca sur le pouce carré qui m'appartient, tu mérites la mort ! » Je me demandais également s'il y avait jamais eu un Jonathan Livingstone des fous de Bassan. Je me demandais si j'avais envie de débarquer sur l'île pour me faire dévorer vivante par ces carnassiers.

— Allez viens, on va visiter l'île, il faut les voir de près, ils sont des milliers, on va se croire en Chine sur la place publique.

— Tu n'es jamais allée en Chine sur la place publique. Tu ne trouves pas qu'ils sont très bien, vus d'ici ?

— On dirait que c'est toi qui a quarante-neuf ans, non, soixante-quinze et encore plus.

— J'ai envie de retourner à Montréal, m'man.

— Quoi ?

— Non, rien. Tu as mal entendu, c'est normal, avec ce tapage. On débarque. Je te paie le droit de passage.

Je déraillais. Ça m'arrive, quand je suis déstabilisée. Ces oiseaux et leurs cris me rendaient un peu folle, enfin, un peu plus que d'habitude. Je pensais à Hitchcock, je me voyais revenir en ville avec des trous à la place des yeux, que je cacherais avec mes lunettes John Lennon. Je finirais mes jours aveugle, avec un chien Mira qui saurait me signifier en jappant les dérangements de ma mise en plis. Plus aucun homme ne voudrait de moi, bien sûr, les hommes sont si superficiels, et cela, même si j'étais une très belle aveugle, assez bien coiffée, cultivée et au courant de toutes les nouvelles tendances de lunettes pour aveugles. Je m'en tirerais fort bien en passant mes samedis soir à user mes jolis doigts aux ongles rongés sur une version braille de *Mrs Dalloway*, et j'attendrais l'appel de ma mère en oubliant qu'elle est morte.

— Maman, tu ne vas pas mourir ?

— Il fait beau, tu ne trouves pas qu'on a de la chance d'être ici, ensemble, en ce moment ?

— Oui, tu as raison, le moment présent, j'oubliais qu'il existe.

Je n'avais jamais vu autant de spécimens d'oiseaux de la même espèce réunis, entassés plutôt, dans un même espace. J'étais sidérée. Par l'odeur de leurs fientes, la sonorité de leurs cris, la rigueur de leur comportement. Ils possédaient tous leur petit lopin de terre et le protégeaient en donnant des coups de leurs becs acérés à leurs congénères quand ils s'approchaient de trop près. Certaines femelles couvaient leurs bébés qui ressemblaient à de petits ballons en habits de neige cousus dans des pans de ouate blanche. On recommandait de ne surtout pas tendre la main au-delà des clôtures, sous peine de se faire happer un doigt. J'avais donc raison. J'ai des connaissances animalières instinctives. Si je n'avais pas eu horreur de l'haleine de chien, je serais devenue vétérinaire.

— C'est fabuleux. Regarde ce petit, on dirait un bonhomme de neige.

— Oui, sauf qu'un bonhomme de neige a une carotte inoffensive en guise de nez.

— Tu es drôle. Je t'aime.

— Je t'aime aussi, maman.

Nous sommes tombées dans les bras l'une de l'autre en ne pleurant pas, ce qui m'a fort impressionnée, car il me semblait que c'était le moment propice pour pleurer tout ce qu'il y avait à pleurer. Nous étions heureuses, attendant respectivement que ce soit l'autre qui desserre son étreinte. Mais il apparaissait que ni elle ni moi n'en avions envie. J'ai bien versé une larme ou deux, disons que mes yeux étaient un peu mouillés, oh rien pour se noyer, juste de quoi distiller mon émotion. Les fous continuaient à chanter, ce que tout à coup j'entendais comme un chant, un chant d'appartenance à une race, une filiation. Nous avons marché main dans la main jusqu'au bateau qui nous a ramenées sur la terre ferme, et sur ce bateau, en silence, je me suis abîmée dans la contemplation du soleil qui se couchait sur le Rocher en sentant l'espace en moi respirer, respirer, respirer.

La suite des événements

Je me suis installée chez maman, ça allait de soi. Nous n'avions même pas eu à en discuter. Une fois mon logement sous-loué, mes affaires de retour dans ma chambre d'enfant laissée intacte à peu de choses près (j'ai retrouvé ma poupée Nina. Finalement, même aujourd'hui, elle a encore plus de poitrine que moi), j'ai relaxé. Jean a pris un congé sans solde et il a également emménagé chez maman. Nous vivions comme une famille reconstituée, la plus moderne et triste qui soit. Triste, car la raison pour laquelle nous étions ensemble n'avait bien entendu rien de très gai. Si nous avons finalement réussi à rendre la situation vivable et même joyeuse par moment, c'est qu'un amour sain et véritable s'est développé au fil des jours, créant le noyau dur de nos liens, motivant chacun de nos gestes. Et l'amour n'est-il pas l'unique condition de toute relation qui se targue d'être vraie? Sans ce moteur à notre engagement, nous serions morts avec maman, ensevelis sous des montagnes de fatigue, de chagrin et d'impuissance. Très bizarrement, je me sentais vivre le moment présent comme jamais. Était-ce dû au fait de côtoyer la possibilité de la mort à chaque instant? Fort probablement. Toujours est-il que j'ai goûté chacun d'eux, assez pour avoir parfois même cru en avoir le goût sur le bout de ma langue.

Je n'ai pas envie de ressasser l'aspect médical lié à la maladie de maman, car cela s'est avéré de peu d'importance finalement, comparé à ce qui se tissait entre elle et moi, un fin tricot qui ne laissait filer aucune maille. Elle m'a fait croire que sa maladie n'était qu'un prétexte pour enfin mieux nous connaître. Cela peut paraître bête et trop simple, mais ça l'était et il fallait y être plongé pour le sentir ainsi. Dans son esprit devenu clarté, tout était simplifié au maximum, si bien que même une butée comme moi en est venue à accepter les évidences sans chercher à les compliquer. J'apprenais le premier niveau des choses, celui qui se vit sans appeler l'explication. Nous étions près d'elle vingt-quatre heures sur vingt-quatre pour ne rien manquer d'elle et ne pas la priver de nous, et, bien sûr, pour atténuer ses douleurs physiques. Mais ce qui la gardait bien éveillée et la faisait pleurer, ou rire à s'en tenir les côtes, étaient les histoires qu'elle me réclamait. C'est vrai qu'elle riait encore plus facilement qu'avant, mais il faut dire que j'en inventais de bonnes, dans lesquelles j'évitais que quelqu'un ne meure dévoré vif par un fou de Bassan, même si je savais qu'elle aurait peut-être adoré ça. Je ne voulais juste pas prendre de risque.

J'ai enfin pu donner un sens au mot « famille ». Rien à voir avec les liens de sang, puisque Jean devenait mon frère (lorsqu'il me taquinait et faisait étalage de mes nombreux défauts), ma mère (lorsqu'il me consolait et me ramenait à mes forces) et mon père (lorsqu'il me rappelait que j'étais une femme et non une petite fille). Rien à voir avec l'amant auquel j'avais aspiré un jour. Je me sentais sotte rien qu'à y penser, alors j'y pensais le moins possible. J'ai toutefois abordé le sujet, à la toute fin d'un après-midi alors que maman s'était endormie à l'ombre, entre les sapins. C'était une belle fin de soirée de l'été des Indiens, tiède, douce, parfaite.

— Tu te souviens de notre rencontre ?

— Oui. Tu étais un vrai diable.

— Diablesse. J'étais jalouse.

— Je sais.

— Ah ? Comme tu es intelligent !

— Je sais. Comme tu es sarcastique !

— Tu sais tout ?

— Oui.

— Tu aimes maman ?

— Vraiment.

— Comment on va faire ? *Comment on va faire ?*

Je me suis écroulée sur ma chaise, la tête sur mes genoux, je voulais mourir à la place de maman, là, tout de suite. Chaque sanglot m'arrachait la gorge, je sonnais comme une vieille poulie rouillée. Il m'a caressé les cheveux, que je n'avais pas lavés depuis quatre jours.

— Tout à l'heure, tu donneras le bain à Marthe, il est temps que tu le fasses. Et tu te laveras en même temps, ça ne te fera pas de mal.

Je l'ai regardé avec mon regard « guerre totale », non, pas tout à fait, plutôt, « pitié, non, tout mais pas ça », mais ça n'a pas fonctionné. Il m'a rendu le sien « je ne te donne pas le choix, ma fille ». Voilà que j'étais la fille d'un dictateur, à quoi bon me battre pour refuser d'exécuter son ordre : je ne faisais pas le poids.

J'ai fait couler l'eau du bain, que j'ai astiqué d'abord, malgré sa propreté évidente. Je voulais retarder ce moment, l'éviter en fait, j'avais vraiment peur. Je souhaitais que la plomberie pète les plombs, avant que ce ne soit moi qui le fasse. Bien sûr, tout s'est passé comme il se doit, le bain s'est rempli, la mousse a moussé, ça sentait bon le lilas, je me détestais d'être si lâche. Jean a emmené maman qui ne pouvait plus marcher sans aide, et l'a laissée à mes « bons soins ». Je tremblais, malgré la chaleur que diffusait l'eau autour de nous. Maman souriait, de ce sourire qui ne la quittait jamais, qui ne l'avait jamais quittée. Dire que ce sourire m'avait tant fatiguée du temps où j'étais cette enfant qui refusait de sourire, il n'y avait encore pas si longtemps de cela. Pour me rassurer, elle m'a fixée un petit moment de ses yeux délavés, et m'a demandé de l'aider à enlever sa robe. J'ai respiré un bon coup, en faisant le moins de bruit possible. Elle était si humble dans sa nudité et faisait si peu de cas de ce corps qui la fuyait, qui avait fondu, ne laissant que l'empreinte de ses os sous la peau, que, tout à coup, je me suis détendue. J'ai retiré mes vêtements aussi en m'assurant qu'elle ne tombe pas, et nous sommes entrées dans la baignoire en nous soutenant mutuellement. Avec la mitaine de ratine imprimée d'un petit mouton rose (je l'avais volée au Gîte des moutons, c'est vrai, mais bon, ça l'avait fait rire quand je la lui avais montrée au retour, alors c'est ce qui compte), je l'ai aspergée doucement de l'eau savonneuse. Je me tassais le plus possible contre les robinets pour lui laisser autant d'espace que le permettait l'exiguïté du bain. J'ai versé une telle quantité de mousse que des bulles flottaient au-dessus de notre tête. Je me suis rappelé les fous de Bassan, les mamans et les petits sous les ailes des mamans. Elle a lu dans mes pensées, ou alors j'étais transparente. Mais n'est-il pas dit quelque part que les êtres qui vivent leurs derniers moments peuvent lire dans les pensées?

— Tu ressembles à ces bébés de Bassan, tu sais, ceux en habits de neige.

— Maman, laisse-moi être ta maman là, juste pour rire.

— Tu l'es depuis un bon moment déjà. Tu n'avais pas remarqué?

J'ai commencé à la laver. Elle a décollé de son thorax les enveloppes vides qui avaient jadis été ses seins pour que je frotte dessous. Elle a ouvert ses jambes maigres, écarté ses orteils, ses doigts, levé ses bras à la peau devenue flasque, j'ai touché à toutes les parties de son corps, ce corps qui n'avait plus rien à voir avec celui que j'avais secrètement jalousé dans la pénombre d'une chambre de Kamouraska. Je n'ai rien touché du mien, je voulais la sortir du bain avant qu'elle ne prenne froid, elle avait si facilement froid.

— Tu ne te laves pas, ma chérie? Tu es toute pouilleuse, regarde tes cheveux.

— Ne t'en fais pas. Je ferai cela plus tard. Je sais que je suis hideuse. Jean me l'a dit tout à l'heure.

— Je doute qu'il ait employé ce mot. Il t'aime beaucoup, tu sais.

— Je l'aime beaucoup aussi. On s'aime pas mal, hein?

— Oui.

Oui. Ça a été son dernier mot, plus un soupir qu'un mot. Après son bain, je l'avais mise au lit et quelques heures plus tard, elle est tombée dans le coma. C'est Jean qui est venu me réveiller en courant de leur chambre à la mienne. Je venais de faire un rêve. Maman me téléphonait et tout ce qu'elle me disait c'est : « Ok, c'est ok. » Nous nous sommes précipités dans sa chambre, mais elle était morte, dans ce court laps de temps.

Je suis retournée à mon appartement trois jours plus tard, après avoir liquidé certaines affaires. J'ai erré, de longues journées d'errance improductive où je ne faisais que pleurer et me remémorer les derniers jours, mais ce qui me revenait d'emblée, c'était les paroles que maman avait prononcées pour me rassurer : « Ok, c'est ok. » Je dormais très mal, et rêvais souvent de tartes aux pommes dont les pommes n'étaient jamais assez cuites. Maman alors entrait dans la cuisine en planant, elle en prenait une bouchée et me disait : « Mais elle fond dans la bouche ! » Puis elle s'évaporait et il ne restait d'elle que son sourire qui flottait au-dessus de la table. Jean a repris son travail. Il m'appelait souvent, une fois par semaine. Nous avions beaucoup ou peu à nous dire. Nous respections nos rythmes, nos silences, nos envies de parler ou de ne pas parler d'elle. Il n'était plus mon père, ni mon frère ni ma mère, il était redevenu Jean, l'homme que j'avais cru voir un jour parler à un sapin alors qu'il ne faisait que délester une branche de ses épines mortes. Je suis allée acheter une perruche blanche, Jeannine, une folle oiselle qui marchait le long du robinet en caquetant et qui crottait dans l'eau mousseuse du lavabo tandis que je lavais la vaisselle. Elle était ma petite folle de Bassan à moi. On s'entendait parfaitement, sauf les matins quand elle me réveillait aux aurores et que j'avais envie de lui enfouir la tête dans son bol d'eau. Elle constituait mon nouveau fond sonore, car, curieusement, je n'avais plus tellement envie d'écouter de la musique comme auparavant. Je supportais aussi bien mes croassements intérieurs, maintenant, que les caquetages de Jeannine. Et le silence ne produisait plus en moi le capharnaüm de jadis. Au contraire, j'aimais le bruissement sourd qu'il créait dans ce nouvel espace où j'étais parfois même capable de me mettre à *off*.

Quelques semaines plus tard, alors que j'avais soufflé dans assez de « kleenex » pour décimer la forêt laurentienne, que j'avais tourné en rond, en carré, en ovale, au point d'arracher le vernis de mon plancher de bois franc, et que j'avais renoncé à faire dire « Lisa » à la pauvre Jeannine, j'ai sorti du fond d'un tiroir ce cahier que j'avais trouvé si laid avec son Rocher Percé rococo aux couleurs improbables. Rien à faire, la nostalgie ne me le rendait pas plus joli. Je l'ai pris avec moi et suis allée à la cuisine. À cette heure du jour que j'adorais, le soleil semblait agrandir la pièce. Depuis mon voyage en Gaspésie, je cherchais les grands espaces. Je changeais mes meubles de place à tous les cinq jours en espérant ainsi faire reculer les murs, ce qui bien sûr ne fonctionnerait jamais à moins de me débarrasser du superflu. J'avais ramassé tant de choses chez maman après sa mort que mon appartement ressemblait à un garage. Je me suis servi une part de tarte aux pommes que j'ai grignotée avec Jeannine qui picorait des miettes en courant tout autour de l'assiette comme une dératée. Machinalement, j'ai feuilleté les pages blanches du cahier, dans l'espoir d'y trouver autre chose que des lignes nues ou je ne sais quoi, quand, venues du petit tiroir secret, celui des choses heureuses qu'on ne veut pas oublier pour s'en servir lors des jours plus tristes, mon esprit s'est mis à projeter, comme une machine à diapos, des images heureuses dans les pages du cahier : maman dans la boulangerie allemande étudiant d'un air sceptique mais intéressé les noms des farines sur les étiquettes ; moi les bras levés vers le ciel pour tenter de rejoindre la cime des éoliennes ; maman m'annonçant l'arrivée de Jean avec un sourire ; moi proposant innocemment à maman toutes sortes de morts horrifiantes pour faire ma comique ; maman, pendant notre beuverie, s'écroulant de rire à toutes mes réparties, faisant de moi la fille la plus drôle du monde, capable de faire rire une femme à l'article de la mort, cette maman-femme que tout le monde aimait. J'ai ouvert le cahier à la page un, choisi mon crayon préféré, et j'ai écrit les premiers mots. Ils sont venus d'eux-mêmes, comme s'ils n'attendaient que le bon moment, le non-effort et la bonne page pour se déposer. Et j'ai commencé l'histoire. L'histoire de ma mère, et de sa fille.

Enrobage maternel

Ça ne va pas fort ce matin. Maman chérie doit avoir raison : vous êtes née marabout. Pour en remettre, vous revêtez cette robe, la pire de votre penderie, celle qui retrousse dès que vous mettez un pied devant l'autre. Elle restreindra vos déplacements au maximum aujourd'hui si bien que vous devrez attendre le signal ultime de votre vessie pour aller aux toilettes. Vous pensez à ajouter le petit foulard de soie très *sixties* dont les fleurs jurent avec celles de la robe. L'effet démoralisant est à son comble.

Avant de partir, vous pensez, ô fille ingrate, que vous n'avez pas rappelé votre mère la veille. Pour une fois qu'elle se donne le mal de laisser un message sur votre répondeur, elle qui « haït ça, ces machines-là ! » Vous vous culpabilisez — c'est votre passe-temps favori — suffisamment pour prendre le combiné et composer les premiers chiffres de son numéro. Mais, vous changez d'avis, vous raccrochez :

elle vous mettrait en retard. Bien qu'elle affirme n'en avoir jamais pour plus que deux minutes de son «*stand-up* pas comique», à la fin de la conversation, vous avez eu le temps d'éplucher les patates, de mettre la table, de cuire le steak, de piler les patates, de manger en faisant «han han», tout ça le cou à 45° pour tenir le combiné contre votre épaule, le fil de vingt pieds enroulé pêle-mêle autour de vos chevilles. Vous la rappellerez ce soir. Il n'est probablement question que de son foie. Ou du téléroman d'hier. Ou du chat qui a fait pipi à côté de la litière. Ou de sa teinture encore manquée. Ou pire encore, de la vôtre, qui l'est toujours : «Tu tiens pas des voisins, qu'est-ce tu veux!». Tout ça aligné si serré que vous n'arriverez jamais à l'interrompre, ou si peu, le temps d'une virgule, d'un semblant de points de suspension. Elle est tellement seule. Vous aussi, vous l'êtes. Vous n'en faites pas un plat.

Vous arrivez au bureau en sifflant «L'amour est enfant de bohème», cet air que vous trouvez idiot. Plus idiot encore, vous vous identifiez à l'enfant. Vous saluez Valérie, la réceptionniste, comme si vous l'adoriez. Elle porte un tailleur deux pièces qui a l'air de sortir de chez Gautier et des escarpins qui mettent ses tendons d'Achille en valeur. Vous êtes jalouse, mais pas plus de deux secondes. Vous estimez qu'il est important d'être en bonnes relations avec la réceptionniste si vous tenez à ce que vos appels personnels parviennent à votre poste sans qu'elle hurle : « C'est un *appel personnel*, Gail, sur la deux ».

Lorsque Gary, le représentant du service des ventes, offre d'aller vous chercher une tasse de café, vous vous rappelez la dernière fois, lorsqu'il avait oublié de vous rendre votre monnaie. Vous refusez. Vous prétextez qu'une marche hors du bureau vous fera du bien et que, de toute manière, vous avez peut-être finalement décidé de couper le café-crème pour ne boire que de l'eau. « Ah oui ? Tu es au régime ou quoi ? ». Vous prenez un air faussement insulté. Vous êtes, après tout, mince comme un brin de ciboulette, « rachitique » dans le vocabulaire très érudit de votre mère grasse. Vous rétorquez, sur le ton de l'innocence :

— Tu trouves que j'en ai besoin ?

— Nooooonnnn ! Mais t'as tellement l'air endormie tous les matins que je me demande comment tu fais pour garder les deux yeux ouverts.

Vous protestez, lui dites qu'il n'a aucune idée de votre formidable capacité d'adaptation et, une fois qu'il a tourné les talons, vous reconnaissez qu'il a parfaitement raison : vous allez chercher ce café qui vous redonnera une mine normale en maudissant cette robe, qui remonte en accordéon sur vos cuisses, tout autant que Gary et tous les hommes de la planète. Tant qu'à maudire, vous y allez à fond d'une pensée tout spécialement acide pour Valérie, qui se contorsionne en spirales savantes devant Alain, le nouveau représentant. Celui qui n'est pas marié.

Il est bien rasé, il voyage en vélo, il va au gymnase trois fois par semaine et ses vêtements sont toujours impeccables.

« Mais ça ne se voit pas que tu lèves des poids Al, tu es parfait ! Pas comme ces émules *(Tiens, elle connaît ce mot ?)* d'Arnold tout difformes ! ». Il reste poli devant les propos insignifiants de Valérie et il trouve le moyen de vous saluer, même si elle fait tout pour qu'il ne vous voie pas venir. Vous passez dignement devant ces deux modèles de perfection, le visage restauré par la caféine, en faisant de tous petits pas, de façon à ce que le tissu ne monte pas plus haut qu'à mi-cuisses, et, heureusement, vous ignorez que votre rouge à lèvres déborde jusque sur vos dents. Vous vous demandez, en mélangeant la crème au café, pourquoi ce sont des types comme Gary, et non comme Alain, qui vous collent. Vous ne cherchez pas vraiment la réponse : vous vous sentez assez déprimée comme ça.

Une fois bien assise et en sécurité, les jambes allongées sous votre table de travail, vous regardez avec découragement la pile de dossiers qui s'élève jusqu'au plafond. Vous croyez entendre votre mère : « Compte-toi chanceuse d'avoir une job, ma p'tite fille. C'est pas une époque pour être difficile. Regarde, moi... », et blablablablabla. Vous allumez la radio : parfois, à cette heure, on passe des hits des années soixante. Ce matin, il s'agit d'un bulletin spécial sur les incendies qui ravagent la Floride. Vous ricanez en pensant à tous ces Québécois qui ont planté leur tente-roulotte sur ce territoire et que vous jalousez par tradition pendant les vingt-huit jours de février, mais vous ne médisez pas plus de deux secondes, car vous croyez au karma. La somme des mauvaises humeurs dont vous êtes affligée depuis votre naissance prouve que vous avez dû être pétrie de pensées négatives bien avant ce damné jour de votre première respiration. Vous vous souvenez que votre mère vous a raconté des dizaines de fois, ainsi qu'à toute la planète Montréal-Nord, qu'elle a failli vous mettre au monde dans la cuve des toilettes lors d'une « grosse envie », et que vous auriez pu vous fendre le crâne sur la porcelaine si elle ne vous avait retenue à temps, et patati et patata. Une histoire pittoresque comme elle les adore, pour retenir l'attention. De toute façon, naître dans un chou ou dans les toilettes, c'est naître pour ne pas être.

Votre patron vous fait venir dans son bureau. Il ne manquait plus que cela. Vous vous y précipitez : vous savez que son temps est précieux, il le dit sans arrêt. Vous remarquez que, lorsque vous allongez le pas, votre robe réagit mieux ; elle respire en même temps que vous. Cette pensée vous rassérène : la journée ne sera pas un flop total, après tout. Vous changez d'avis lorsqu'il vous annonce, avec un débit oral de pic-bois, *tac-a-tac-a-tac*, que vous devrez remplacer Valérie à la réception pendant ses vacances, la semaine prochaine, puisque des coupures dans le budget de la compagnie ne permettent pas d'embaucher une employée intérimaire, etc., etc.,

etc. Vous retenez votre respiration, vous sentez votre jupe qui se crispe sur vos genoux. Vous réfléchissez vite pour donner la meilleure réponse et vous lui servez la pire :

— Je ne connais pas le système téléphonique, monsieur. Y'a pas moins de 300 boutons sur ce clavier.

— Éh bien ! Valérie vous apprendra. Prenez un bon cinq minutes pour faire ça, cet après-midi.

Comme il se met à pitonner sur son clavier d'ordinateur, vous constatez que vous n'avez plus rien à faire là et vous sortez en vous sentant le dindon de la farce. C'est ça, être la moins ancienne dans un bureau ! On vous demandera bientôt de remplacer le concierge ! À quoi bon vos quatre années de torture et d'endettement universitaire, si vous devez vous retrouver devant une console téléphonique à miauler toute la journée le nom de la compagnie sur le ton de l'orgasme. C'est, en tout cas, ce que le ton de Valérie semble suggérer.

Vous retournez à votre cagibi, une tonne de briques sur les épaules. Charlotte, votre compagne de travail mono-parentale-y-m'a-pas-encore-envoyé-la-pension-le-rat, vous observe du coin de l'œil tandis que les dossiers voltigent à travers la pièce. « Qu'est-ce qui se passe ? T'as même pas bu ton café. T'es dans ton syndrome prémenstruel ? » Elle pense toujours que vous souffrez du syndrome prémenstruel — votre mère aussi : ça sent le complot — de quoi donner l'envie de se suicider.

— Je suis reléguée sur le banc du paon tout le mois de juillet.

— Ha ! Est bonne celle-là. J'ai fait ça l'an dernier, t'étais pas avec nous. T'aurais dû me voir. J'me faisais engueuler toutes les cinq minutes parce que j'passais pas les appels aux bons postes. Non mais, t'as vu c'te console ? Y a au moins trois cents boutons ! J'ai cru devenir folle !

Vous l'adorez en ce moment, celle-là, avec son franc-parler qui vous donne des sueurs et sa robe qui ressemble à celle que vous portiez pour votre première communion. Maman y tenait ; elle l'avait étrennée pour la même cérémonie, vingt ans auparavant. L'intrusion de votre mère dans votre vie vestimentaire, depuis votre tendre enfance, a bien failli ruiner votre vie sentimentale à la puberté. Vous n'oublierez jamais comment votre partenaire de bal de finissants avait évité de vous inviter à danser, et même de vous regarder dans les yeux, comme s'il avait craint d'apercevoir dans le bleu de vos pupilles, le reflet vanille de la crêpe empesée qui vous servait de robe. Cette même robe que votre mère, bien sûr, avait portée à son propre bal de finissants, vingt ans auparavant. Vous ne vous féliciterez jamais assez de ne pas vous être mariée...

Le calme revient en vous, tranquillement. Et malgré chaque minute qui semble en durer soixante, midi sonne enfin. Le glas : vous avez oublié votre lunch sur le comptoir de la cuisine de votre appartement où il fait chaud comme dans un four. Une cuisse de poulet sur nouilles chinoises. Vous imaginez avec horreur le spectacle qui s'offrira à vous à votre retour : une colonie d'asticots, grouillant sur les nouilles grouillantes d'asticots. Vous priez pour que les vertus du *Tupperware* vous épargnent.

Votre vie prend soudain des airs de farce monumentale, de sac à surprises rempli de mauvaises confiseries : Gary s'amène avec sa dégaine de champion de *bowling*, en craquant ses jointures une à une, et vous gratifie d'une oeillade qu'il a dû longuement mettre au point devant une glace fêlée : « Ça te dirait, une petite cuisse chez Ti-Coq ? C'est moi qui invite ». Vous lui dites que, dans ce cas, vous préféreriez une poitrine. « Je préférerais la tienne, ma poule ». Vous vous esclaffez au lieu de le gifler, car vous savez fort bien que c'est l'absence de poitrine qui caractérise le plus votre squelette. La magnificence de votre physionomie provient de votre nez, car tout l'accent, lors de votre fabrication, a été concentré sur cet organe de votre par ailleurs délicieux et fort original visage. Mais il y a si longtemps que vous avez reçu une invitation toutes dépenses payées que vous êtes prête à toutes les bassesses et tous les compromis humiliants pour vous empiffrer aux dépens d'un autre.

On gèle dans cette rôtisserie, et Gary dépose obligeamment son veston sport à carreaux trrrrrrrrès écossais de chez Tip-Top sur vos frêles épaules. Affublée ainsi de fleurs, de carreaux et de ce type que votre mère adorerait — « y a donc l'air prrrropre ! » —

vous souhaitez en secret ne rencontrer personne de votre connaissance. Après vous avoir remis un billet pour le tirage d'un barbecue, l'hôtesse, aimable comme une crotte de bique, vous assigne la seule table pour deux qui soit apparemment libre, juste à côté de l'entrée d'où toute la file d'attente a une vue imprenable sur vous. Comme vous adorez vous graisser la figure de poulet rôti devant public, vous êtes bien servie.

Le mauvais sort s'acharne sur vous : à peine votre commande passée, on annonce bruyamment que vous possédez le numéro gagnant. Vous voilà propriétaire d'un superbarbecue *Sunbeam*, et vous êtes invitée à vous rendre à la caisse pour réclamer, ticket numéro 109, votre bon d'achat, avec la robe et le veston, enfer et damnation ! Gary est fou comme un balai. Il vous applaudit, il ameute les voisins de table qui amplifient le boucan en claquant dans leurs mains graisseuses et vous glissez vers la caisse, plus que vous ne marchez, en un long ralenti. *Aaaaahhhh ! Qu'il est long le chemin qui conduit vers le barbecue !* De longues secondes pendant lesquelles le bruissement du tissu de votre robe vous paraît plus assourdissant que la clameur ambiante. Vous êtes une star, la star de la grillade ! Vous jouissez de ce moment unique pendant lequel vous sentez que vous « faites un » avec votre robe. Vous jetterez cette robe, séance tenante, dès votre arrivée à la maison ce soir.

« Y faut ab-so-lu-ment que tu m'invites à ton premier barbecue le prochain beau samedi ! » Gary frétille comme un poisson qui se tient la tête hors de l'eau en agitant sa queue sous la surface. Vous pensez tout bas, même si vous mourez d'envie de le dire tout haut, — après tout, vous mangez une partie de sa paye — : « J'ai un balcon qui fait quatre pieds par deux, imbécile ». En fait, depuis que vous avez regagné votre place, votre esprit dégouline d'images tout aussi réjouissantes que grotesques : vous, calcinant des tas de cuisses de poulet pour lui, qui cherche à éteindre le feu pris sur le gril ; vous, poussant *par mégarde* l'appareil encore chaud, oups ! du haut du troisième sur sa voiture. Sainte mère ! Serez-vous toujours aux prises avec des types qui vous désirent et dont vous ne voulez pas ?

Heureusement, vous êtes munie de ce qu'il faut aujourd'hui pour en prendre ; de couilles en béton, dirait Gary. Sur le chemin du retour, tandis que vous poireautez sur le trottoir en attendant votre bon ami qui prend la file au guichet de la banque, une espèce de copine, que vous vous affairez à éviter comme les films de kung-fu et qui vous adore, elle, vous tombe dessus. « Gail, Gail, j' t'ai appelée deux fois cette semaine. Ton répondeur doit être défectueux ! » C'est tout comme. « Attends que j'te raconte ce qui m'arrive. » Vous la fixez bien entre les deux yeux, c'est la meilleure façon de faire croire qu'on regarde dans les yeux, même si c'est tout faux. Pendant ce temps, vous êtes ailleurs, vous vous reposez, sans oublier d'opiner de la tête de temps en temps, par souci de vraisemblance. Il faut qu'elle se sente écoutée. Des années de pratique avec votre mère soliloque ont solidifié votre technique ; vous êtes une brillante simulatrice de l'écoute active. Il le faut bien ! Vous avez le chic d'être entourée de ce type de personnes qui prennent votre oreille en otage. Vous tendez l'ouïe un peu, tout de même : on ne sait jamais, cela pourrait égayer votre journée.

« Alors, y m'approche, me touche le bras avec douceur et me demande de quelle planète j'viens... hiiiiiiii... j'ai flanché. Tu sais que, depuis Robert, je me suis promis de prendre un arrêt d'au moins un mois, le temps d'me remettre, mais me faire dire des affaires de même, ouf ! Le pire, c'est qu'on a pas couché ensemble avant le lendemain. Ça ne m'est jamais arrivé ! J' pense bien que celui-là, c'est l'bon. Je l'sens. Y est beau ! y est beau ! y est beau ! J' vais attendre d'être sûre avant de te l'présenter, tu pourrais lui faire tourner la tête, coquine, même dans c'te robe affreuse. Tu l'as piquée à ta mère, ou quoi ? En fait, c'est pas autant la robe que le foulard avec la robe. On dirait que t'as fait exprès. Ha ha ! ce serait bien toi, espèce de provocatrice ! Ça va toi ? »

Vous voyez apparaître Gary et vous en êtes soulagée, surprise de pouvoir ressentir une émotion du genre en sa présence. Vous avalez la repartie que vous alliez lancer à votre espèce de copine. Elle vous dresse toujours le même portrait, de Robert, et de tous les précédents, à raison d'un portrait par

mois. Dommage, au fond, ça risque de vous cha-
touiller encore la langue, une heure plus tard.

À votre arrivée, Charlotte vous offre un drôle
de spectacle. Elle est effondrée sur votre chaise et
déchiquette un verre de polystyrène, vous rappe-
lant votre journée de bénévolat dans un établisse-
ment psychiatrique. Certains patients, qui mettaient
des choses en lambeaux, arboraient le même air de
vache ruminante. Prête à vous porter à son secours,
vous réalisez qu'elle se mord consciencieusement
les lèvres avant de prononcer le premier mot : vous
comprenez qu'une nouvelle tuile est présentement
en chute libre, en direction de votre tête.

« Gail, assis-toi ma chouette ». La chouette que
vous êtes devenue obéit à l'ordre en écarquillant les
yeux, les deux mains pendantes : vous attendez
placidement.

— Ta mère a eu un accident, Gail.
— Elle va bien ? Elle va bien ?

Vous voilà perroquet, maintenant.

— Elle est morte, ma puce.

Déjà petite, vous devenez encore plus petite.
Une puce, c'est encore trop gros. Une puce, c'est
plus gros que la petite fille que vous devenez. Vous
ne dites rien, vous ressemblez de plus en plus à cette
chouette avec vos yeux ronds qui s'emplissent d'eau,
et le perroquet à l'intérieur de votre boîte crânienne
répète : « Non, non, non, non, non, non… », et la
puce vous chatouille la gorge. Il y a tout un zoo qui
fait un tapage d'enfer derrière votre front, une pul-

sation traverse votre tempe. Une main se dépose sur votre épaule droite, vous mettez la vôtre dessus, comme ça. Il y a des poils sur cette main, les doigts sont gros, mais leur pression, délicate. C'est une main compatissante. Vous ne désirez pas savoir à qui appartiennent ces doigts, vous ne voulez rien savoir, juste rester là, le dos bien droit, avec cette barre, tout le long des vertèbres, qui vous empêche de tomber de haut, dans le ravin où échouent les nouvelles orphelines.

Tout à coup, il y a des tas de mains sur vous, un brouhaha de phalanges, d'index, de pouces qui vous palpent, semble-t-il, jusque dans vos entrailles, tandis que vos lèvres remuent : « Maman, Maman, Maman, Maman… ». C'est comme un gémissement douloureux qui vous déchire. Les mains pleines d'amour caressent votre mal, vous soutiennent, emplissent, comme elles croient pouvoir le faire, le vide immense, incommensurable, de la perte. Vous voilà dans l'*après-mère*, vous voilà en cet indicible lieu qu'aucun ne peut décrire, à moins de l'avoir déjà visité.

Les doigts poilus resserrent leur étreinte sur votre épaule et la voix reliée à ces doigts demande aux autres corps de vous laisser seule : vous avez besoin de respirer. Vos yeux se remettent à voir. Ils voient le poignet, le bras, tatoué de carreaux écossais, et vous laissez tomber votre tête fatiguée, si fatiguée, contre ce bras solide. Vous avez besoin de solidité. Vous avez besoin de quelque chose qui ne disparaisse pas. Vous n'êtes pas étonnée que le bras de Gary soit aussi reposant qu'un oreiller de plumes, car, malgré ses maladresses, il vous aime, et il vous le dit à sa façon.

C'est lui qui vous accompagne à l'hôpital. Il est très silencieux, il vous soutient par le coude jusqu'à la porte de la morgue. C'est bien votre mère, juste un peu plus blanche, un peu plus cassée. Elle a encore appliqué son rouge à lèvres de travers… mais… non ! Ce sont ses lèvres qui sont de travers. Vous fondez en larmes. Vous l'aimiez, vous l'aimiez ! Pourquoi ne pas le lui avoir dit plus souvent ? Encore aurait-il fallu qu'elle vous laisse placer un mot.

Vous prenez sa main ; elle ne vous chatouillera pas la paume comme quand vous étiez toute petite. Elle est presque tiède, ou est-ce votre imagination ? Vous la regardez en face, vous en profitez : vous aviez tant de mal à le faire de son vivant. Elle évitait votre regard et vous le sien. Elle vous entend peut-être toujours ? Vous lui racontez votre journée, cette journée de fou, et la taquinez : « Tu es la cerise sur le sundae, Mom ! ». Elle oubliait toujours la cerise sur le « sundae », quand elle vous les confectionnait, les samedis, avant le cinéma de six heures et demie, en fredonnant : « L'a-mour est en-fant de bo-hè-meu », cet air idiot que… S'agissait-il finalement de vous, cet enfant ? Vous étiez déjà toutes deux en chemises de nuit, serrées comme des amoureuses, et jouiez à qui ferait le plus de bruit en sapant la crème glacée. Vous adoriez ces jeux dégoulinants. Mais un jour, elle a eu un amoureux, un vrai, et elle n'a plus joué avec vous. Vous lui dites combien elle vous a manqué, à partir de là ; combien vous avez senti ses regards vous traverser comme si vous étiez un verre transparent, et cela, jusqu'à la fin.

Vous touchez son visage. Ses cheveux. Vous vous souvenez de cette fois où vous l'avez aidée à faire sa teinture, où vous avez essayé d'en saboter la couleur ambrée, justement parce qu'elle sortait avec cet homme le soir même. Finalement, le noir aile de corbeau avait eu l'effet contraire : il lui allait à ravir. Vous avez ragé toute la soirée, devant un film nul, sans crème glacée, avec pour seule saveur en bouche votre amertume.

Ses paupières closes semblent vouloir s'ouvrir à tout moment. Vous l'embrassez sur la joue, près du coin des lèvres, comme elle le faisait jadis, avant l'homme : « pour mimer l'amour », disait-elle en riant. Vous ne riiez pas, vous trouviez cela naturel. Ce n'était pas du mime à vos yeux, pas du tout. « Pardon, maman ! Oh, pardon ! J'aurais dû te laisser cet homme. Je voulais juste pas te perdre ». Sans jamais n'en rien montrer, elle ne vous a jamais pardonné d'avoir manigancé pour qu'il sorte de sa vie. Mais vous sentiez qu'elle le savait. Les silences vous ont séparées, pire que si l'homme était resté.

Vous quittez la morgue, rejoignez Gary qui attend patiemment et vous accueille avec une étreinte qui en dit long sur vous ne savez quoi ou que vous ne voulez pas savoir. Vous le laissez vous ramener, vous l'invitez à venir voir de quoi a l'air la cuisse de poulet sur les nouilles chinoises. Juste cela. Vous le renvoyez, après un verre d'eau du robinet : votre frigo est vide, c'est tout ce que vous avez sous la main. Vous vous faites couler un bain chaud et en remplissez la moitié avec vos larmes.

*

Vous avez flotté entre ciel et terre pendant plusieurs jours, avec les funérailles et tout. Finalement, ça vous a évité de réchauffer la chaise de la réceptionniste. Charlotte a joué à la maman, vous a rassurée comme on fait avec les petits enfants : « Je connais les trois cents pitons par cœur. T'en fais pas, repose-toi, mon lapin. Charlotte s'occupe de tout ». Le patron vous a accordé deux semaines de congé, payées par-dessus le marché. Vous les avez remerciés avec des battements de cils humides. Tout le monde était si gentil. Vous vous êtes nichées dans ce cocon d'affection gratuite qui vous a semblé plus douillet que tout ce que vous avez jamais connu et au sein duquel vous avez été vous-même, cette personne retrouvée.

À partir de ce moment, Gary est souvent venu vous voir ; il vous a expliqué le fonctionnement du barbecue. Vous vous êtes tassés sur le petit balcon et lorsqu'il vous a effleurée, vous avez pensé : « ça ira, ça ira. » Vous avez eu le courage de lui dire, pour son veston et ses jointures ; il s'améliorerait. Vous aussi.

Vous avez rêvé de votre mère, parfois. Elle vous est apparue, très jeune, dans un halo de lumière, et des petits animaux ont dansé joyeusement autour d'elle. Puis, vous n'en avez plus rêvé du tout.

Les deux crachats

*« Avant de cracher votre mère,
assurez-vous d'y avoir au moins goûté ».*

Le jour de l'enterrement de sa mère, Irma Doré, décédée sans un bruit sur un lit d'hôpital, d'une mort ne portant pas de nom tragique, Jean-Benoît Doré cracha deux fois. Deux jets de salive translucide, un rien baveux. Propres, à vrai dire. Fait étonnant, compte tenu des circonstances.

Le matin, sa sœur unique et aînée, Irène Doré, l'avait invité à déjeuner, lui qui ne déjeunait jamais.

— Ça n'aura pas l'air d'un déjeuner. Y aura de la soupe.

— Tu sais bien que j'ai jamais aimé la soupe.

— T'aimes rien de toute façon.

Faux. Il aimait des tas de choses, mais pas la soupe, c'est tout. Irène avait le don de le faire passer pour un criminel dès qu'elle se sentait contredite.

— Tu veux que j'apporte quelque chose ?

— Mets-toi propre, c'est tout ce que je te demande.

— Quand est-ce que tu m'as vu sale ?

— Tu sens, des fois.

Vrai. Il oubliait de savonner ses aisselles sous la douche. Chacun ses affaires.

— Je vais arriver vers midi.

— Onze heures et demie, ce serait mieux. D'autant plus que t'es toujours en retard.

— C'est ça. À tout à l'heure.

Sa voiture lui ressemblait. Un croisement entre sa poubelle et son salon. Des sacs froissés et des canettes vides au sol, une peau de banane, quelques *Et caetera*. Sur le siège arrière, une courtepointe d'une propreté douteuse, faite au crochet par sa mère, propre à l'origine, jamais lavée depuis. À quoi bon, puisqu'il ne transportait jamais de passager à l'arrière sauf son chat, à l'occasion, qui travaillait comme un forcené à l'effilocher. « Faudrait que je nettoie ». Il pensait ça, souvent.

Le petit sapin *sent-bon* dansait gentiment sous le rétroviseur, et Bob Dylan nasillait, tandis que Jean-Benoît roulait, roulait sur l'avenue bordée d'arbres, et ces arbres bordaient, bordaient la rue, si joliment, comme une chaîne d'amis. « The answer my friend, is blowing in the wind ». Jean-Benoît se demandait en quoi consisterait maintenant sa vie, s'il y verrait une différence, étampé du nouveau statut d'orphelin.

Peut-être qu'Irène aurait une idée, elle qui adorait donner son opinion.

— Tu as dix minutes d'avance.

— Je fais des progrès.

— Si on veut.

Elle l'embrassa. Un luxe, une rareté.

— T'es tout ce qu'il me reste de famille.

Il réprima un sourire baveux.

— Vice-versa. On ferait mieux de se forcer.

— C'est déjà fait. Y aura pas de soupe. J'ai cuisiné une pizza.

— Avec des champignons?

— Oui.

— Tu sais que je déteste ça.

— Je te l'ai dit, t'aimes rien.

Ils mangèrent en silence. L'urne contenant les cendres de leur mère reposait au centre de la table. Pas vraiment une urne, une boîte noire, banale, qu'Irène avait placée sur un petit napperon jauni. Les doigts qui l'avaient tricoté se trouvaient en poussière, dans la boîte juste dessus. La pizza avait un drôle de goût. Elle croquait sous la dent. Jean-Benoît vérifia ses plombages en glissant sa langue sur ses molaires.

— Irène, pourquoi t'as mis m'man sur la table?

— Pour prendre un dernier repas avec elle.

— Parce que tu penses qu'elle s'en aperçoit?

— C'est symbolique. Mais on sait bien, toi... D'ailleurs, j'ai répandu un peu de ses cendres sur la pâte à pizza. À peine, un soupçon.

Jean-Benoît s'étouffa raide. On dit que, selon la gravité de l'accident, le visage des gens qui s'étouffent peut revêtir simultanément toute la palette des rouges. Irène n'avait jamais vu une paire de joues s'empourprer à ce point. Elle ne s'inquiéta pas outre mesure. L'émotion n'était pas le fort de son frère, c'était bien son genre de s'étrangler ainsi pour une si petite chose.

Après la quinte de toux, vint le premier crachat, ponctué d'un flot de morve, narine droite, flux de larmes incontrôlable, oeil gauche, haut-le-cœur, reflux oesophagien. Ses organes se révoltaient.

— De l'eau, de l'eau ! Sapristi !

Il arracha la carafe de cristal des mains d'Irène et but à même le goulot, se gargarisa, rinça toutes les parois de sa bouche, puis éternua. De son œil droit, il lorgna vers sa sœur qui conservait un air stoïque, comme si rien ne se passait.

— T'es folle. T'es vraiment folle. Je te haïs presque.

— Tu m'as jamais aimée de toute façon.

— Commence pas ! Tu te rends compte ? On a peut-être mangé un doigt de maman, un fémur, une oreille. Je vais vomir.

— T'as même pas avalé une pointe au complet. Rien qui puisse même contenir une paupière.

Elle se surpassait.

— Je vais vomir.

— Tu te répètes.

— Je vais aux toilettes.

— On va partir après.

— Faudra qu'on reparle de ça.

— Au moins, ça va nous faire un sujet de conversation.

Il pleura, un peu, tandis que ses boyaux colériques se répandaient sur la porcelaine immaculée. « Mon Dieu ! Et c'est elle, ce qui me reste de famille ? Faut que je nettoie ma voiture ». Il se racla la gorge et cracha encore une fois, avant de tirer la chasse d'eau. Sa sœur n'était plus dans la cuisine. La pizza non plus. Son projet d'en faire un *frisbee* tombait à l'eau.

— Jean-Benoît, tu roules dans une vraie *dompe*. On peut pas transporter m'man là-dedans.

Elle zieutait d'un air désapprobateur l'épave automobile.

— M'man y voyait rien de toute façon.

Il se mordit les lèvres, terrassé par son manque de tact.

— OK. T'as raison. Faut que je nettoie.

— Je vais le faire. On a le temps. Repose-toi. Tu dois être absolument épuisé après tant d'émotions.

Elle avait presque épelé le mot « épuisé » en le prononçant, prenant bien soin de l'étirer au maximum. Son habileté oratoire la rendait presque charmante.

Il s'assit sur la chaîne de trottoir et regarda sa sœur, ne pouvant s'empêcher de la comparer à une grande branche de céleri garnie d'appendices. Elle agitait chaque canette pour s'assurer qu'il ne restait pas de liquide. Le cas échéant, elle le déversait sur le bord de la rue avant d'enfouir le contenant dans un sac de plastique blanc. La courtepointe s'envola et le vent emporta des miettes dans la figure de Jean-Benoît.

Il ferme les yeux. Voit :

Irène qui le pousse dans un carrosse d'épicerie et lui tape sur les doigts chaque fois qu'il tend la main vers une boîte de conserve ; Irène qui nettoie les planchers à la vadrouille, prépare les repas, fait la lecture à leur mère aveugle pendant qu'elle tricote une horreur rose et bleu poudre ; Irène, quinze ans, mère de sa mère et de son frère, petit moteur familial «vroumvroum» jamais en panne ; Irène, dix-huit ans, qui refuse les invitations à danser, jusqu'à ce qu'elle n'ait plus d'invitations du tout ; Irène, vingt ans, qui entre dans un bureau d'avocats comme secrétaire et cafetière, qui rentre à la maison le soir sans déroger (Jean-Benoît lave tes mains, viens mettre la table, va chercher maman chez ma tante, je réchauffe la soupe, critique pas, si t'es pas content, t'iras manger chez Soda), qui se retire dans sa chambre à coucher qui ne sert qu'à ça, à l'heure des poules, jamais un coq à l'horizon pour mettre en danger son sommeil d'avant minuit, c'est le meilleur à ce qu'on dit ; Jean-Benoît, treize ans, qui se moque des tenues trop sobres de sa sœur, sa sœur qui ne pleure aucune larme sur sa vieille jeunesse et qui astique, cuisine, sacrifiant sa vie

sans rien dire d'important, sauf quand ça lui sem-
ble de travers. Les travers, elle les remarque, les
redresse, en invente s'il le faut. Le balai l'inspire, lui
donne de l'imagination.

Il se leva, prit sa sœur dans ses bras et l'embrassa sur la bouche, ou presque. Elle le laissa faire.

— Merci, Irène.

Elle ne dit rien. D'un geste qu'il voulut empreint de tendresse, Jean-Benoît lui ouvrit la portière avant de la voiture. Quelques anges passèrent, soulevant quelques poussières, quelques fantômes.

Et ils roulèrent, roulèrent, « *like a rolling stone* », avec leur mère assise sur le siège arrière, la courtepointe bien lissée en dessous, vers le cimetière, vers la pierre où était gravé son nom : Doré, Irma.

Karma cleaning
ou
Une araignée dans le plafond

Par insécurité, après mon ixième déménagement, j'ai conservé quelques-unes de mes meilleures boîtes de carton. Je déménage souvent, et ça me tue à chaque fois de courir pour trouver de nouvelles boîtes. Puisque je n'ai aucun espace de rangement (étant donné mon budget qui ne me permet que des demi-sous-sols ou des trois et demi avec un demi-garde-robe), j'ai dû les entasser derrière un meuble à tiroirs antique dans lequel je classe mes plus petits vêtements par ordre de couleurs, puis de grandeurs, car je grossis et maigris à tout bout de champ, selon que je suis ou non en amour avec un type bien ou moins bien. J'ai tout un stock de culottes : « small », « medium », « large », mais pas extra, dans le « large ». Mon hérédité m'a épargné d'en arriver là. Ils sont tous maigres comme des chicots dans ma famille et je suis la seule qui joue au yoyo avec mon poids. Mais là n'est pas la question, revenons à mes boîtes. Après les avoir camouflées, puis oubliées, pendant une année complète, elles me sont revenues à l'esprit lorsque j'ai remarqué une araignée qui déambulait sur mon plafond. Une, puis deux, puis trois. Quatre, puis cinq. Je déteste tuer les insectes, aussi répugnants soient-ils, mais là, vu le nombre, je n'allais pas commencer à les faire passer sur une feuille de papier pour les jeter ensuite par la fenêtre : « allez, va, vis ta vie d'insecte pas beau, tu es libre ! » Que Dieu me pardonne. Je sais, c'est dégoûtant, et pitoyable, mais je ne pouvais faire autrement, n'est ce pas ? À l'aide d'un balai, je les ai toutes tuées, et quand elles réussissaient à fuir, je montais sur une chaise et les écrabouillais avec la tranche du livre *Ma mère, mon miroir*, que je suis certaine de ne jamais lire en cent ans. J'ai déjà assez de problèmes comme ça. Je détestais ce carnage qui laissait des traces verdâtres sur mon mur blanc, enfin, d'un certain blanc, incertain blanc. Je me questionnais sur l'origine de cette infestation. D'accord, je ne suis pas l'épousseteuse la plus performante, normal donc que quelques toiles aient été tissées ici et là, non ? Et puis, ça n'a rien de sale, des toiles d'araignées. Même que, si on y regarde de plus près, c'est plutôt naturel, artistique aussi, et décoratif, surtout en période d'Halloween. Ma mère me hachait menues les oreilles à chacune de ses visites en me répétant qu'un jour, je me réveillerais enrobée dans un cocon.

112

Je n'allais pas sauter sur le téléphone pour lui dire que le jour était venu, elle aurait été trop contente. J'aime bien ma mère, mais pas au point de lui avouer toutes mes défaites. Elle adore me prendre en défaut, comme toutes les mères. Voir où son éducation a pu faillir et essayer subito de corriger ses erreurs.

Après avoir balayé toute la surface du plafond de ma chambre (ai-je oublié de le préciser : la pièce choisie par les araignées se trouve à être ma chambre, ce qui accentue l'horreur de l'affaire, car, en effet, tous mes amoureux ont affirmé m'avoir vue dormir la bouche ouverte), j'ai déplacé le bureau qui cachait les boîtes. Un an et des poussières. Plus que suffisant, quand on est une araignée le moindrement habile en tricot, pour s'y ériger un condo trois étages. Mes boîtes abritaient la mère de tous mes problèmes.

Je ne pouvais pas l'écraser celle-là. Elle était si grosse qu'elle aurait fait un bruit atroce et giclé ses entrailles partout. Je me suis mis en tête de l'attraper, ne serait-ce que pour épargner à mes tympans et à ma mémoire le son que ferait le mastodonte en explosant sous « Ma mère, mon miroir ».

En allant chercher un verre, une chope de bière en fait, étant donné l'immensité de la bête, je me suis rappelé un autre épisode de ma vie. Je devais avoir huit ans. J'étais fascinée par l'habileté que ma mère avait à étendre le linge sur la corde : les bas tous par couples, les petites culottes, couleur chair dans le cas des siennes, minuscules et blanches dans celui des miennes, toutes alignées comme des enfants sages, jouant ensemble sans se toucher, puis les camisoles de mon père, loin des culottes de maman, mais collées sur les miennes. J'aimais cette proximité qui compensait l'absence de caresses. Bref, toute notre famille étendue au grand vent avec tant de virtuosité, ça m'épatait et me faisait rêver, de légèreté. Pendant mon observation béate, je mangeais des raisins secs, ceux qui viennent dans de jolies petites boîtes rouges. Ma mère avait cette manie de ne rien jeter qui soit comestible même si comestible, l'aliment ne l'était plus vu la date de péremption. De toute évidence, ce détail, elle ne le connaissait pas, ou préférait l'ignorer, en mère économe qu'elle était. Elle se justifiait par un altruisme immodéré et factice : « Les petites Chinoises, Africaines, Biafraises, Ougandaises ou Sud-Américaines, seraient bien contentes d'avoir "ça" à se mettre sous la dent, si elles en ont encore, des dents ». « Ça », c'était par exemple, ce que j'étais en train de manger, ces raisins de Corinthe qui semblaient encore un peu moelleux sous mes petites dents parce qu'ils étaient enrobés de minuscules vers blancs. Je les gobais en regardant l'étendue de notre famille se faire aller les dessous sur la corde, sans me rendre compte, avant d'en être arrivée au raisin final, que j'ingurgitais cette vermine infecte. Je n'ai pas vomi et ma mère n'a pas osé me sermonner avec ses petites noires du Zimbabwe qui se seraient trouvées chanceuses d'être à ma place. Elle était juste étonnée que je n'aie pas rendu l'âme ou, du moins, les raisins, vu ma délicate constitution.

Voilà les pensées qui s'agitaient dans mon esprit après avoir déplacé ces boîtes de carton dans ma chambre, là où la mère porteuse des rejetons s'ébrouant sur mon plafond avait élu domicile. Je me suis approchée avec la chope de bière, me demandant encore si j'allais essayer de l'y faire entrer ou encore de l'assommer avec. Elle a senti la menace, évidemment, et elle s'est mise à courir partout. J'étais aussi affolée qu'elle. Je craignais de la perdre de vue et c'est ce qui s'est produit, bien sûr. Je n'ai rien d'une chasseuse d'araignée. Ma spécialité, c'est les hommes. Deux pattes, ça court moins vite que huit, ou est-ce six? Je n'ai pas eu le temps de les compter, elle courait trop rapidement. Elle a filé entre les plis des boîtes tellement couverts de poussière que j'ai éternué deux fois en postillonnant comme le fait ma mère sur ma figure quand elle me parle avec trop d'intensité mère-fille. Le téléphone a sonné. Je me suis réjouie de cette distraction, car j'avais le cœur au bord des lèvres. Personne n'aime vraiment les araignées.

Voici ce à quoi peut ressembler une conversation avec la mère dont j'ai hérité. J'ai dû commettre bien des meurtres dans ma vie précédente pour mériter une mère pareille. Sans blague, elle n'est pas si pire. Juste un peu toquée et constamment en état de réaction, comme toutes les mères, je suppose.

— Sara, ça va ? C'est moi, maman.

— Je t'avais reconnue. Tu es reconnaissable entre toutes.

—C'est vrai ? Je suis flattée. Je voulais te dire qu'il y a un film avec ton acteur, tu sais, le blond avec la « baboune »…

— Brad Pitt…

— … qui commence à la télé dans cinq minutes.

— Maman, je n'ai pas le temps. Je dois kidnapper une araignée plus grosse que ton nez, ce qui n'est pas peu dire. Elle a pondu dans ma chambre. Ses petits se promènent au-dessus de ma tête quand je dors. Je n'aime pas ça du tout.

— Ce n'est pas surprenant, tu ne fais jamais le ménage. À croire que ce n'est pas moi qui t'a élevée.

— C'est à peu près ça.

— Arrête de faire la pas fine. Tu ne vas pas la tuer quand même ? N'oublie pas que chaque être vivant sur la planète a pu être ta mère un jour, dans une autre vie.

Ma mère était devenue bouddhiste depuis trois semaines et elle en connaissait apparemment déjà tous les enseignements par cœur puisqu'elle m'en récitait un nouveau à chaque appel, c'est-à-dire chaque jour.

— Maman, si cette cochonnerie a un jour été ma mère, souhaitons qu'elle n'ait pas été ma mère biologique. J'aime encore mieux penser que c'est toi.

— Ne la tue pas ! C'est une créature dotée de la vie comme toi et moi, et même si elle est plus laide à regarder, je te le concède, ça ne te donne pas le droit de décider du moment de sa mort !

— Calme-toi le pompon. Je n'avais pas l'intention de la tuer. J'ai une chope de bière vide à la main et crois-moi, ah ! ah ! ce n'était pas dans le but de boire l'araignée. Mais non, je vais te l'emmener et vous pourrez avoir une conversation sur l'art de mettre au monde des bébés inutiles. Et tu me diras ensuite qui se trouvait à être la mère de qui, et dans quelle vie, parce que là, je suis mêlée.

— « Le sarcasme est un sous-produit de l'humour ». Qui a dit ça ? Quelqu'un qui te connaissait, sans aucun doute. Je t'assure, *tu peux bien développer des araignées*. Je suppose qu'elle a fait sa toile dans ces boîtes de carton qui dépassent de derrière ta commode ? Je t'avais dit de t'en débarrasser, cochonne, ça ramasse la poussière et maintenant, regarde ce qui arrive.

— Oui, c'est comme lorsqu'on garde de la bouffe « passée date » !

— Tu ne m'as jamais pardonné cette histoire de raisins, hein ? Tu aurais dû vomir au lieu de garder ça en dedans de toi. C'est fou ce que tu as la mémoire longue. Ça ne t'a pas tuée, en tout cas. Je dirais même que ça a pu te renforcir, d'une certaine façon, mais je ne sais pas comment.

— J'avais oublié, m'man. Ça vient tout juste de me revenir.

— Tu m'en diras tant. Eh bien! Le film commence si ça t'intéresse, mais je suppose que tu l'as déjà vu dix fois. Je me demande bien ce que tu peux trouver à ce *baby-face*. On n'a plus les hommes qu'on avait, avec des mentons virils à la Kirk Douglas. Je te laisse, j'ai pour une heure de méditation à faire.

— Tu ne tiendras jamais quinze minutes, maman. Tu vas t'ankyloser et tu ne pourras plus te relever. La poussière va prendre après toi, puis les fils d'araignée, et tu connais la suite.

— Eh bien! Ce sera quinze minutes alors. C'est toujours mieux que de méditer sur une histoire vieille de quinze ans.

— J'ai encore le goût dans la bouche, maman.

— Menteuse. Tu viens de me dire que tu avais oublié.

— Tu as raison. Bye, vieille bouddha boudinée. Je t'aime.

— Bye, boudeuse. Je t'aime aussi, la plupart du temps.

L'araignée avait disparu. J'ai regardé un peu partout, distraitement, puis j'ai passé un linge sec sur les boîtes en me demandant quoi faire du fin et savant réseau de fils. Rien ne grouillait entre les boîtes, silencieuses, immobiles, inoffensives. J'ai remis la commode en place en les tassant bien serrées derrière. Elles ne faisaient de mal à personne, au fond.

Je suis Daphnée

Maman va bientôt mourir. Elle ira rejoindre papa, là où poussent des fleurs à l'année, là où tout baigne dans le vert, sous un ciel bleu sans nuages. Des anges s'y promènent, en dessinant de jolis sillons blancs qui forment des petits animaux, des petits animaux magiques. Ils vont parfois dans les rêves des enfants pour y déposer des messages, et, si on écoute ces messages, on sait que tout peut toujours aller bien. Oui, c'est ce que maman m'a raconté hier, avant que je retourne chez tante Ginette. Je crois qu'elle veut me rassurer, sa main dans mes cheveux, sa longue main fine et presque transparente. Elle invente des histoires qui finissent bien, pour me faire rêver de beaux rêves. Ça ne fonctionne pas toujours.

Elle tient un journal, un cahier brodé d'or qu'elle ferme à clé, « pour que les choses négatives n'y entrent pas », dit-elle. « Une pensée par jour, que tu liras plus tard. » Plus tard. On est presque déjà là. Quelques pensées plus tard.

Dans son lit d'hôpital, elle a l'air d'une petite fille. Je lui apporte l'eau, les biscuits, les journaux qu'elle tient absolument à lire jusqu'à la dernière minute, « pour ne pas monter au ciel mal informée ». Un jour, je lui ai proposé une carte géographique, pour qu'elle soit sûre de ne pas se perdre en chemin, une fois en route pour là-haut. On a ri, on rit parfois. Un peu jaune, mais bon. On a le rire qu'on a et qu'on peut.

Ma tante m'accompagne lors de la plupart de mes visites. Maintenant, elle veut que je l'appelle Ginette, pas « ma tante », ni « ma tante Gigi », comme je l'ai toujours nommée : « Puisque nous allons bientôt vivre ensemble pour de bon toutes les deux, pourquoi ne pas s'appeler par nos vrais prénoms, comme si on était de vieilles amies ? » Alors, elle a cessé de m'appeler Pitchounette. Je suis redevenue Daphnée. Ça m'a donné un coup de vieux, de devenir une vieille amie. Mais depuis le début de la maladie de maman, je me sens déjà plus vieille de toute façon. Ça se voit quand je ris, parce que je ris moins.

Ma tante, je veux dire Ginette, je sais qu'elle m'aime beaucoup, et moi aussi je l'aime. Pourtant, elle a l'air de se faire un tas de soucis pour notre cohabitation. On dirait qu'elle croit que je ne peux pas bouger dans une pièce sans tout casser. Probablement depuis que j'ai renversé son étagère de bibelots représentant tous les signes du zodiaque. Si elle craint pour ses beaux objets chinois, son siamois, son amoureux, toutes ces choses dont elle parle sans arrêt, elle n'a pas à s'en faire. Je n'aime pas les choses, elles ne servent à rien. Et les chats non plus. Et son amoureux non plus, puisqu'elle se chicane tout le temps avec lui. Je pourrais bien aller vivre ailleurs, avec les Esquimaux, ou dans une caverne d'ermite en Inde, ça m'est bien égal, du moment que je peux écrire mes poèmes.

Je pense qu'elle me croit jeune parce que je n'ai pas encore quatorze ans. Mais je comprends les gens plus qu'elle ne peut l'imaginer. Même lorsqu'ils n'expriment pas clairement leurs sentiments. Je comprends mieux la nature, mais les arbres, et les gens, c'est pareil au fond : parfois ils sont habillés de vert ou de couleurs d'automne, parfois nus comme des vers. Et alors, ils ont l'air sans défense et on dirait qu'on les connaît mieux ainsi, sans leur couverture. Quand je dis des choses comme ça, on me regarde comme si n'importe quoi sortait de ma bouche, des bêtises sans queue ni tête. Alors, je les écris, ces choses. Un jour, quelqu'un les lira et les comprendra.

Maman s'inquiète à l'idée de me laisser seule. Elle trouve que j'ai la mine basse. Pourtant, avant de pénétrer dans sa chambre, j'essaie de revêtir un déguisement, de clown, d'infirmière maladroite qui trébuche dans tout ; je m'habille de bonne humeur même si c'est gris souris à l'intérieur de moi.

Je ne veux pas qu'elle me voie toujours triste, même si je le suis toujours. Elle me dit que je dois être courageuse, que « mourir ne consiste qu'en une étape normale de la vie ». Des choses sérieuses de ce genre. Que là où elle s'en va, elle n'aura plus mal. Moi, qui reste ici, j'ai mal quand même. Mon masque de fanfaronne ne cache rien. Dans mon cœur, ça ressemble à une guerre avec des tas de morts, à la fin de quelque chose, à une bataille qui ne sert à rien.

Des fois, on dirait que la bataille, je suis la seule à la mener. Car maman, elle, se laisse aller. Avec un sourire de sainte, comme je ne lui en ai jamais vu du temps où on vivait dans notre maison. Comme si elle se reposait enfin.

Depuis la mort de papa, les larmes se promenaient entre les nouveaux plis de son visage. On aurait dit des petites rues où la pluie s'accumule, des petites rigoles, pas rigolotes. Je l'aidais du mieux que je pouvais, après l'école. Je me privais de sortie les fins de semaine pour le ménage. Mais les lignes creusées restaient imprimées sur son visage, comme le chagrin dans son cœur. Et dans le mien. Puis, elle est tombée malade. Pas juste un peu, pas malade avec un thermomètre au lit et ça passe. Malade avec des tas de médecins qui se relayaient autour d'elle, chuchotant des mots trop longs à retenir. C'est à ce moment-là, quand elle est passée définitivement du lit de sa chambre au lit de l'hôpital, que j'ai perdu le rire facile.

Je pense au monstre dans le ventre de maman. J'ai mal comme si j'étais elle. Le soir, dans mon lit, je mords dans les couvertures pour faire moins de bruit en pleurant.

Ça me fait drôle de penser que je viens de là où la chose qui la ronge se cache. Maman me raconte que, lorsque je me trouvais dans son ventre, elle me chantait des chansons des Rolling Stones. Je ne comprends pas comment il se fait, alors, que j'ai toujours préféré les Beatles. Je devais être un peu sourde, ou j'avais trop d'eau dans les oreilles.

Les docteurs ont dit de ne pas la fatiguer. Alors, je me couche près d'elle. On se tasse, bien collées, et on écoute la télé suspendue au plafond. N'importe quoi, rien la plupart du temps. Parfois, on baisse le volume et on chante. Elle m'a appris « Ruby Tuesday », je lui ai appris « Let It Be ». Mais elle pleure avec cette chanson-là. Et moi, avec toutes les chansons. Finalement, on préfère le silence. On ne dit rien, on se serre, je l'écoute respirer.

Aujourd'hui, je lui apporte un gâteau que Ginette et moi avons cuisiné. Pas de glaçage, elle ne le digère pas. Blanc, avec des pacanes. Elle vomit après la première bouchée. Du sang noir, qui fait un dessin bizarre sur sa jaquette bleue. Une infirmière arrive en courant. Elle me fait sortir. Je me retrouve toute seule dans le corridor, avec un néon grésillant au-dessus de la tête. J'ai peur. Ginette vient me rejoindre avec des yeux qui essaient de ne rien dire. Mais moi, je veux savoir, je n'ai pas froid aux yeux.

Sa main prend mon bras et elle dit : « Viens, on va faire un tour ». Je lui réponds : « Pas question ». Mais elle est du genre musclé, ma tante, et un petit brin d'herbe comme moi, ça ne pèse pas lourd dans sa balance.

Sur le balcon de l'hôpital, elle me dit que maman n'en a plus pour longtemps. Je lui demande si elle a pensé à nourrir son chat avant de partir. Elle pense que je deviens folle. Je commence peut-être à être bonne dans l'art de faire semblant. Ne rien montrer de mes sentiments, comme les adultes. Ça ne marche pas longtemps. Je fonds en larmes, il en coule tellement qu'on ne voit plus mon visage dessous. Tant mieux, je ne veux pas qu'on me voie, je veux disparaître, noyée, n'importe comment.

Maman me tend la main lorsque j'entre dans sa chambre. On dirait qu'elle a maigri de vingt livres depuis les dernières minutes. Ses lèvres ont perdu leur couleur ; sa peau a la texture du papier de soie dans lequel on emballe les cadeaux. Elle me serre contre elle. Les os saillants de son corps percent ma peau. Ça m'est égal. Je la serre aussi, si fort qu'elle semble arrêter de respirer. Je m'éloigne un peu d'elle. Ses yeux sont fermés, une larme coule d'un œil, un peu de sang de ses lèvres. Ma tante m'attire contre elle, me chuchote : « Ma pauvre petite, ma pauvre petite ».

« Ma pauvre petite ». J'entends ces mots souvent les jours qui suivent la mort de maman. Ce doit être la formule pour désigner les orphelines. On perd notre maman, et aussi notre prénom. Mais il existe d'autres mots, plus réconfortants. J'en lis tous les jours dans le journal de maman, dont les pages sont devenues gondolées à cause des larmes que je verse dedans. Elle y a écrit des choses drôles, qui parlent de la vie, des choses simples, qui m'aident à tenir le coup. Sa dernière phrase : « N'oublie jamais : tu es Daphnée ».

Je pleure tous les jours, partout où pleurer peut se faire, c'est-à-dire partout. Personne ne m'a encore serrée dans ses bras, là où je me sentirais assez bien pour pleurer toutes mes larmes. Les bras dans lesquels maman s'est laissé emporter, je me demande à quoi ils ressemblaient. Je me demande s'ils avaient des ailes.

J'entends parfois sa voix, quand elle me disait doucement :«Je serai toujours là avec toi, près de toi ». Mais, c'est où , là ?

Hier, j'ai enfin osé regarder mon reflet dans le miroir en brossant mes dents. Droit dans les yeux, bien secs pour une fois. Droit dans mon chagrin. C'est alors que je l'ai vue.

Pseudo-mère

Est-ce que j'ai l'air d'une voleuse? Ça ne doit pas, car je n'ai jamais été prise. Il n'y a pas un voleur qui arbore en permanence la ride de délinquance qui le dévoilerait. De toute façon, j'ai entendu dire qu'on a plus de chance de reconnaître le voleur à ses doigts crochus qu'à son visage. Mes doigts à moi sont fins et agiles, des doigts qui peuvent tout aussi bien tricoter un chandail en quelques jours que devenir menaçants, saisir deux objets à la fois, les faire disparaître comme un magicien dans mon sac.

Je sais que voler signifie enfreindre un des dix commandements et j'y crois un peu, à ces lois, depuis que j'ai vu Charlton Heston se les faire graver directement de la main de Dieu avec un rayon laser ultrasophistiqué sur une planche de *styrofoam* du temps des pharaons d'Égypte. À chaque fois que je pique quelque chose sur une étagère, je pense à Moïse qui entend la grosse voix de Dieu lui édicter ces commandements qui allaient créer la culpabilité chez l'Homme, un sentiment particulièrement aiguisé chez la Femme, voleuse ou pas. Sauf que voilà, j'ai appris que la cleptomanie visait en grande partie la gent féminine, alors Dieu a sûrement conçu cette loi pour elle. « Nos mains trempent dedans ». Quelle sale pub, Marie.

Mais je vole pour une bonne rasion : offrir le meilleur à mon bébé. Le gouvernement ne donne pas suffisamment d'argent pour nous nourrir comme il faut, alors je prends ce qui devrait nous revenir de plein droit. Comment être un citoyen à part entière si on mange moins bien que les chiens des ministres ? Alors, je pique bio, pour que mon petit bébé d'amour à moi devienne un beau petit poulet rond engraissé avec de la bonne nourriture sans additifs chimiques. Il n'y a pas de mal à vouloir lui faire du bien. Je suis certaine que Jésus serait d'accord, lui qui s'est permis de changer les cailloux en pain ou je ne sais quoi, sans demander, au préalable, la permission au ministère de l'agro-alimentaire. En tout cas, bébé, il adore manger santé, sauf que ces choses sont hors de prix.

Mais aussi, il faut le dire, j'aime vivre ces sensations qui surgissent en moi quand j'exerce un contrôle sur mon environnement. C'est follement excitant. Je me sens vivante, j'existe. J'entre dans le magasin d'aliments naturels, où je commence à être connue et je fais plein de sourires étudiés, je lis les étiquettes comme si je voulais apprendre la liste des ingrédients par cœur : ça fait consommateur responsable. Une fois que mon masque d'ange est en place, j'utilise mes grandes manches et j'y camoufle biscuits, pots de sauce, raisins secs et vitamines, que je largue dans mes grandes poches. Pas trop à la fois. Si j'ai l'air d'une baleine à culottes de cheval en sortant du magasin, je vais éveiller des soupçons. On n'engraisse pas à faire son épicerie, ce serait même tout le contraire. La caissière m'aime bien, je crois. J'achète son lait de soya favori, trois boîtes à la fois s'il est en spécial. J'ajoute deux choses ou trois que je paye en bonne et due forme, ça me déculpabilise envers le commerce, et elle me demande, en me remettant ma monnaie :

— Comment va le petit ? J'ai hâte que tu viennes nous le montrer.

Et je réponds :

— Bien, bien ! Il mange comme un petit ogre. Elle me dit :

— Le mien aussi me ruine, c'est si cher manger santé !

Et je réplique :

— Et on ne veut pas leur donner de la merde à l'OMG.

— Ah ! ça non ! Mais on n'a pas toujours le choix. Et le tour est joué. Je sors du magasin avec la réputation d'une bonne mère doublée de celle d'une citoyenne conscientisée. La caissière est contente, elle s'est identifiée à moi et à mon bon sens. On est de connivence avec nos théories sur les graines, ce qui suffit amplement dans son esprit « granola » à éliminer tout soupçon sur ma personne ou sur mes poches un tout petit peu déformées par la bouteille de jus de carottes.

Le pire moment, le moment le plus pointu, est celui où le premier pied franchit la porte de sortie : on a toujours peur que le second ne suive pas, qu'une main lourde comme une barre de métal se pose sur son épaule par derrière, comme j'ai vu faire une fois. J'avais été impressionnée. J'ai eu des papillons pendant des heures en imaginant que ça aurait pu tout aussi bien être moi. Le type est devenu rouge, j'ai eu si honte pour lui avec mes réglisses et mon shampoing, testé nulle part, cachés entre mes vieux *kleenex* et mes clés. Je le suivais : sortir collée sur quelqu'un, ça me rassure : je me dis que si un système d'alarme se déclenchait, on serait deux à être arrêtés, ce serait moins gênant aux yeux des spectateurs qui ne sauraient qui est le fautif. Tout le monde le regardait. Les uns souriaient méchamment, sans aucune compassion, espérant un esclandre, les autres avaient des menottes à la place des yeux. Il n'avait pris qu'une tablette de chocolat, je l'ai vu la remettre à cet agent de sécurité véreux déguisé en vous et moi. Je crois que le problème venait du fait qu'il s'agissait là d'une marque très chère, avec amandes et raisins bio. Un choix excellent : donc il savait ce qu'il faisait. Un connaisseur, me suis-je dit avec respect. Je n'ai jamais osé piquer celle-là.

Hier soir, il m'est venu une rage de cleptomanie. Ça ne marchait pas comme je voulais : bébé était
de mauvaise humeur, il rechignait sur tout, je lui ai
dit : « Reste un peu tranquille, joue au Nintendo, je
vais chez *Retour Nature* voir si je ne pourrais pas y
grappiller quelque chose ». Il a grogné, il était mignon,
il est adorable, même quand il boude, sauf que moi,
ça me démangeait de le voir se détendre. Alors, j'ai
pris une barre de caroube imitation barre de chocolat, un paquet de biscuits très *grano*, une bière
importée de la macro-micro-brasserie et une de ces
tablettes, celles « pas-touche ». J'ai hésité et j'aurais
dû écouter cette hésitation : ça ne ment pas. Mais
mon envie de défi était plus forte que moi et, surtout, que mon discernement. Je ne sais pas ce qu'ils
mettent dans ces tablettes amandes et raisins bio,
une caméra miniaturisée ou quoi, mais j'ai reçu le
bras de fer sur l'épaule avant même d'avoir mis le
premier pied dehors.

C'est bébé qui est venu me chercher. Il était
furieux. Il a parlementé avec le gérant pour le con-
vaincre que c'était la première fois, que j'étais dans
mes hormones et que j'étais incontrôlable ces temps-
ci. Il m'a collé une sacrée réputation, je me suis
demandé si c'était vraiment ainsi qu'il me voyait.
Une fois dans la voiture, il a continué à gueuler. C'est
lui qui doit avoir un trouble hormonal. Il existe un
truc pour les humeurs extrêmes, une fleur de Bach
quelconque, je vérifierai. Malgré ses cris, je ne
pouvais m'empêcher de me sentir flattée qu'il ait

travaillé aussi fort pour me tirer du pétrin. Un peu d'attention parfois, faire prendre soin de soi, un retour d'affection, ça fait du bien. Je n'ai même pas eu le temps de me sentir coupable.

J'ai quand même pris mon trou une fois à la maison. Calée jusqu'au cou dans le fauteuil en face de la télé, j'ai continué à tricoter son beau chandail rayé, en sirotant une limonade Sealtest et en croquant les biscuits Oréo qu'il m'a servis en me disant : « À l'avenir, on mangera comme tout le monde. D'où t'est-elle venue cette lubie de me faire manger ces saloperies infestées de produits naturels ? Tu crois qu'on a les moyens ? Et puis ça ne goûte même pas bon. Ça ne doit pas faire des enfants forts, cette bouffe-là ».

Étant donné qu'on était en pleine semaine sainte, j'ai pu terminer la deuxième manche en regardant Moïse ouvrir les eaux. Ça m'a donné le cafard pour la soirée.

Jack et moi

Je suis enceinte. J'attends un bébé. Un ba-be-bi-bo-bu-bé-bé.

Varices, vergetures, cris, larmes, nuits blanches, cernes autour des yeux, couches. Risettes, mini-orteils à croquer, plis dodus aux aisselles, fesses creusées d'irrésistibles fossettes. Sentiment et urgence d'exister, pour quelqu'un.

Je me demande si j'ai ce qu'il faut. Un mélangeur, une mini-laveuse-sécheuse, un assortiment de *Tupperware* complet avec tous les couvercles, des serviettes et des débarbouillettes avec des petits minous imprimés dans la ratine. Pas de père. Ok.

Je regarde mon ventre, plat comme un œuf crevé. Pour l'instant. Je plante un doigt dedans, rien de spécial. Être enceinte a ceci de particulier : tant que tu n'as pas à augmenter d'un point, puis de deux, puis de trois le contenu entier de ta garde-robe, tu n'as pas l'air enceinte. Mais dès que ça pointe et que les mini-marguerites du tissu de ta robe se transform en chrysanthèmes, alors là, plus un homme ne s'intéresse à toi.

Au bureau, personne ne s'exclame en me voyant arriver : « Marielle, comme tu as l'air épanouie ! Serais-tu enceinte, par hasard ? » Ça serait surprenant, j'ai les deux yeux beurrés noirs. Je ne les ai pas fermés de la nuit. Le résultat de mon test de grossesse maison n'a pas eu les effets calmants et soporifiques espérés. Quand j'ai vu la couleur tourner, j'ai su que j'en aurais pour quelques nuits à tourner tout autant. Étonnant, personne n'a remarqué que j'ai le teint bleu. Pourtant, c'est l'usage dans ce bureau : tout va bien, personne ne s'en réjouit ; tu as le malheur d'avoir la moindre ride de contrariété, le moindre mauvais pli dans les cheveux ou sous les yeux, on le hurle à tous vents : « Mon Dieu ! tu as donc l'air fatiguée, surmenée, à côté de tes pompes, à l'article de la mort, grabataire, embaumée… » Ce genre de choses réconfortantes.

Raymond commence bien tôt ce matin à faire sentir sa présence. « Alors, toujours célibataire après ce long week-end ? N'oublie pas que je suis preneur ». Ah ! S'il savait ce qu'il en aurait pour son argent avec moi. Deux pour le prix d'une. Personne ne veut de lui : il a une moustache et une haleine effroyable. Pas très inspirant pour une femme enceinte bientôt nauséeuse. Dans peu de temps, plus personne ne voudra de moi non plus, gonflée comme une baudruche que je serai. J'aurai beau sentir le bon savon au muguet et porter de mignonnes petites robes grandes comme des parachutes, on ne retiendra de moi que la protubérance et non qu'il y a une personne vivante derrière. Et dedans.

Je n'arrive pas à me concentrer sur mon travail, comme d'habitude, mais en pire. Je fais le recensement des dernières personnes avec lesquelles j'ai couché. Toutes portaient un condom, sauf Myriam. La seule qui aurait été un père idéal. Voyons… Luc? J'espère bien que non. Maigre, toussoteux, hypocondriaque. Marc? Peut-être. En jouissant, il a crié pour le bénéfice de tous les voisins : « Oh ! Bébé ! Bébé ! ». Je n'ai jamais eu si honte de ma vie. André… oublions ça, il a débandé en mettant la capote et c'est demeuré au point mort. Joël? Trop jeune, il ne faut absolument pas que ce soit lui. De toute manière, peu importe l'identité du géniteur, il n'est pas question d'avoir cet enfant. Tiens, je n'avais pas pensé à cette possibilité, ne pas l'avoir. C'est si simple, aujourd'hui, de se faire avorter, dans une ville où on ne risque pas de recevoir un cocktail Molotov en plein front pendant qu'on se trouve écartelée, les pattes coincées dans les attelles. Ça ne coûte presque rien, à part une once ou deux de culpabilité, quelques douleurs et désagréments inhérents, quelques onces de culpabilité supplémentaires, une petite dépression et hop ! retour à la normale. Pourquoi hypothéquer les dix-huit prochaines années de sa vie quand on peut s'en tirer à si bon compte?

Pendant que les collègues sont sortis pour le lunch, je compose le numéro de téléphone de la

135

clinique la plus connue, celle où se ramassent toutes les femmes sérieuses et argentées. Je raccroche dès qu'on décroche. Il me faut y réfléchir encore un peu. Et puis, le test s'est peut-être trompé? Il me semble que le liquide n'était pas si bleu… Non, pas de fuite possible, j'ai dix jours de retard sur mon cycle. J'appelle ma mère. Une mère sait reconnaître dans la voix de sa fille si elle est enceinte, non?

— As-tu écouté «Femmes et maîtresses» hier soir? John a finalement demandé la main de Dorothy sous le nez de Frances qui s'est fait épingler par Harry, tu sais, il la pourchassait depuis plusieurs épisodes? La semaine prochaine, il y aura deux mariages. Et toi, tu t'es fait un petit ami? Quand est-ce que je vais être grand-mère?

—M'man, jamais. Je préférerais encore élever des abeilles.

Elle claque de la langue.

— Si j'avais pensé comme toi, tu ne serais pas là aujourd'hui.

«M'man, je suis enceinte. Ferme-la!» Évidemment, je ne lui dis pas cela, mais plutôt : «Si tu ne m'avais pas eue, papa ne t'aurais jamais quittée pour une femme plus jeune, plus mince, moins enceinte.» Je ne lui dis pas ça non plus, en fait, je ne dis rien du tout. Je raccroche en prétextant qu'un collègue veut me voir, ce qui n'est pas tout à fait faux puisque Raymond me fait des bye-bye insignifiants en marchant vers moi avec sa moustache et son haleine.

— Tu n'es pas allée dehors ? Il fait un temps splendide. Son souffle sent le café et la nicotine liquide. Horrible. Quelque chose est resté accroché à un poil de sa moustache. Un cas désespérant.

— Non, j'avais des appels à faire. Il a l'air de faire atrocement chaud. Pas question que j'aille calciner sur l'asphalte.

—Viens donc, on va aller jusqu'au petit parc. Je te paie une petite liqueur.

Je ne dis pas oui, mais il le prend comme ça. Il oublie la petite liqueur. De toute façon, je déteste les petites liqueurs, surtout depuis que je suis enceinte. J'ai des aversions par anticipation. Je suppose qu'enceinte, on développe des tas d'aversions. Je vais probablement en développer une double pour Raymond.

En conservant une distance stratégique entre son corps et le mien, j'arrive à ne pas trop respirer ses effluves. Nous, femmes enceintes, avons l'odorat exacerbé, un rien nous soulève le cœur.

— Je n'allume pas de cigarettes, je sais que tu détestes les fumeurs.

— Pas les fumeurs : la cigarette. Enfin, certains fumeurs également, mais pas du fait qu'ils fument.

Il rit, il veut montrer qu'il a le sens de l'humour. Ou faire semblant qu'il ignore que je parle de lui.

Je ne sais pas ce qui me prend, une poussée de ces aversions naturelles vu mon état, ou l'envie de me débarrasser de lui à tout jamais, mais je lui dis comme ça, tout de go :

— Je suis enceinte, Raymond.

Il me regarde. On dirait que la veine sur sa tempe va soudainement éclater, c'est très impressionnant.

— Pas possible ! Tu avais un chum et tu ne m'en avais rien dit ?

— Plus besoin de s'encombrer d'un homme pour faire un bébé de nos jours, Raymond. Je l'ai cuisiné toute seule. Je m'ennuyais, un samedi soir. J'avais une bonne recette. Il sera tout noir, avec un peu de jaune.

— Tu me fais marcher ? Tu n'as pas l'air enceinte pour deux sous. Même tout le contraire.

— Qu'est-ce que tu veux dire par là ?

J'ai envie de le frapper subitement. De lui arracher ses poils de moustache un à un. De retirer ma confidence.

— Ben d'habitude, une femme enceinte a une mine épanouie, pas l'air d'avoir dormi une heure et demie.

Qu'est-ce qu'il en sait, celui-là ?

— C'est pour donner un avant-goût de ce que ce sera bientôt.

— Si tu as un chum compréhensif qui participe aux tâches, je ne vois pas pourquoi tu devrais avoir cette face d'enterrement pendant des années. Lui arracher les yeux, la langue, la tête. Il teste le terrain, c'est évident.

— Ben c'est ça, il n'y en a pas, d'homme.

L'expression bardée d'espoir qui illumine son visage

d'un coup me fait regretter ma franchise. Il est vraiment désespéré, ce type. N'importe qui, même une fille enceinte de n'importe qui.

— Écoute, pas besoin d'ébruiter ça sur tout l'étage. Je ne suis pas sûre à 100 % d'être vraiment enceinte. Tu sais, ces petits tests de pharmacie, qui te font te demander si tu n'es pas daltonien...

— Oui, oui, mais tu me tiens au courant, d'accord ?

Qu'est-ce qui m'a pris ? Depuis que j'ai ouvert ma grande trappe, il n'arrête pas de me détailler des pieds à la tête, avec un arrêt sur l'estomac, de m'offrir des cafés — c'est toujours ça de pris — et de me lancer des clins d'œil comme si on était complices d'un crime, ou d'un secret d'État. Au moins, il n'est pas revenu sur le sujet. Quel abruti inclassable !

Je n'ai pas refait un autre test. J'utilise la pensée magique. Je ne suis pas enceinte, mes règles retardent parce que je suis hyper stressée, parce qu'il fait super chaud, c'est archi-normal.

Je décide de le dire à maman. Elle est contente, elle veut qu'on l'élève ensemble. On l'appellera Sabine comme Azéma, son actrice favorite, elle portera mes vêtements de bébé à moi, conservés depuis trente ans à l'abri des « insectes mangeurs de petit linge pour bébés », dans un tombeau de naphtaline. C'est touchant.

— M'man, ce sera un garçon, il s'appellera Jack comme Dutronc. Et je ne suis même pas sûre de vouloir le garder, ni même d'être officiellement enceinte. Je le suis à peu près, mais pas tout à fait. D'ailleurs, j'ai déjà un postulant pour le poste d'assistant à l'élevage. Raymond, un moustachu qui pue de la bouche et qui dit des stupidités.

— Tu ne vas pas laisser un homme nauséabond élever notre enfant, ma fille. Ce n'est pas lui qui lui donnerait une image positive des hommes, s'il n'a pas plus d'hygiène que ça.

—Ni toi non plus. Tu m'as élevée dans la tradition suffragette enragée. Regarde ce que ça a donné. Une autre fille-mère.

— Il y a des choses pires que ça dans la vie. Tu aurais pu être un bébé thalidomide, et avoir des petites palmes à la place des bras.

— Au moins, j'aurais peut-être su nager.

Bon, ça suffit. Ces combats mère-fille n'ont jamais rien donné. Maman est encore excitée comme une puce, lorsque je raccroche, à l'idée de se régaler de dix-huit années de Sabinage. Elle est folle. Autant l'avoir et la lui donner, gratis. On ne peut souhaiter mère plus désireuse et enthousiaste, pour le moment.

En me laissant ratatiner dans le bain, je regarde, déconfite, le stock astronomique de protections féminines achetées la semaine passée dans un élan désespéré pour déjouer le sort, alors que je planais dans mon atmosphère de pensée magique. Il n'a pas diminué d'un iota. Aucun doute, je suis enceinte. De Luc, Marc, André, Myriam. Impossible de spéculer quand à un probable matériel génétique. À moins d'un éventuel test d'ADN, je ne saurai jamais de quel intrépide testicule s'est éjecté le spermatozoïde qui était plus malin que ses acolytes. Comment vivre une grossesse tranquille avec toute cette marge d'inconnu ?

Raymond a rasé sa peluche. Si je n'avais senti son haleine fétide sur ma nuque — malhabilement masquée par une menthe — quand il a hurlé : « Surprise ! », je ne l'aurais peut-être pas reconnu. Il est presque…sexy. C'est fou ce qu'une lèvre supérieure soudainement dévoilée peut révéler de la sensualité d'un homme. Bon, sensualité est un terme nettement exagéré en ce qui concerne Raymond, mais en voyant l'ourlet rosé ondulant sous son nez, lequel a lui-même pris des proportions tout à fait différentes, cette lèvre fraîchement découpée et enrobée d'un pâle halo propre et un peu luisant, j'ai eu envie de mordre cette chair rosée comme un petit jambon. J'ai dû oublier l'haleine, l'espace d'une fraction de fraction de seconde. Pulsions incontrôlables de femme débilitée par son début de grossesse, assurément.

— Comment tu aimes mon nouveau look ?

« Il aurait fallu que tu passes ta langue, tes gencives, ta luette au gant de crin et au savon de Marseille pour bien faire, mon vieux. » Je n'ai pas dit ça. Plutôt :

— Raymond ? Mon Dieu ! mais est-ce bien toi ? Pas possible ! J'ai cru que c'était Billy Crystal !

— Oui, j'ai décidé que l'allure policier-comptable, ce n'était plus pour moi. Pas assez moderne. Je me sens un homme nouveau. Tu as envie de prendre une petite liqueur avec un nouveau-né ? Oups ! Excuse-moi, j'ai fait de l'humour sans m'en rendre compte. Pas très dosé, hein, ahah ? Désolé. Allez, viens donc, bébé.

Je ne dis rien ce coup-ci, je mets son babillage sur le dos de la nervosité, de l'excitation due au plaisir de dire des choses avec sa nouvelle bouche. C'est encore beau qu'il ait réussi à ne pas s'étouffer avec la menthe. Côté menthe aussi, il est passablement novice.

— Maman, Raymond a rasé sa moustache. Et il suce des bonbons.

— Bon, ça y est. Tu es en train de me dire que je risque de perdre ma place, c'est ça ? Dis-toi bien que sous la menthe, la putréfaction vit toujours et que la capacité d'un homme à débiter des niaiseries n'a rien à voir avec le nombre de poils qui lui cache la babine.

— C'est le seul homme qui s'est vraiment intéressé à moi sans relâche depuis 1999.

— On est encore en 1999. Prends donc ton temps.

Maman a toujours le dernier mot.

Depuis maintenant quatre mois que j'ai ce petit bout dans mon ventre, faire les choses les plus banales devient des plus compliqué. Je me penche et je m'inquiète en pensant que le sang lui monte peut-être à la tête. Je me tourne dans mon lit et je dis : « Attention ! Tout le monde à gauche ! ». Je tousse et je me demande s'il se croit dans un chariot de montagnes russes. Hier soir, j'ai osé prendre une bière et je me suis culpabilisée à chaque gorgée. Quand j'ai senti des petits coups par en-dedans, j'ai pensé que Jack était la réincarnation d'un membre AA.

Les détails insignifiants, les petits trucs du quotidien auxquels je vaquais de façon mécanique se parent maintenant d'une aura de lumineuse unicité. J'y porte attention, je *souris dedans*. Je me coule dans ces gestes qui, auparavant, me procuraient le sentiment de m'y noyer. Là, j'expérimente, je suis une grande scientifique, une observatrice du « *here and now* ». On dirait que je ne veux rien rater de chaque seconde, pour lui rapporter les moindres faits quand il sera grand. « Quand tu étais dans mon ventre, Jackie-Lou, j'ai rongé mes ongles ! Une autre fois, j'ai mangé mes céréales avec une grosse cuillère à soupe ! Une autre, ma soie dentaire a cassé entre deux molaires et s'est toute effilochée, j'en ai eu pour des heures à enlever ça ! Te souviens-tu des trois jeudis soir d'affilée où on a mangé du chinois en écoutant « *It's a beautiful life* » de Frank Capra ? La troisième fois, je baragouinais les répliques dans mon anglais cornichon, et je me suis mordu la langue au sang ! J'ai tellement ri. Tu vois, il s'en est passé des choses incroyables pendant que tu pataugeais là-dedans ! Ah oui, j'ai aussi respiré des fleurs au jardin botanique. Avant toi, je ne faisais jamais ça !» Je m'exclame sans cesse. Les points d'interrogation se sont enterrés d'eux-mêmes au cimetière des questions devenues inutiles.

Comme la vie est belle ! En a-t-il toujours été ainsi ? Maman commence à tricoter ; moi aussi. On tricote ensemble. Elle me révèle des tas d'anecdotes sur moi, lorsqu'elle attendait ma naissance. Qu'elle rongeait ses ongles sans arrêt, mangeait ses céréales avec une cuillère pour bébé, oubliait de se brosser les dents ou encore se les brossait deux fois de suite. Elle avait toujours envie de manger des mets chinois. C'est fou ce que, subitement, ces petits détails m'intéressent. J'en redemande.

Les collègues sont maintenant au courant que je ne suis plus tout à fait la même. Ils m'accordent un statut spécial, celui de quelqu'un dont il faut prendre soin. Raymond se sent un peu déclassé, alors il en remet. J'ai des fleurs fraîches à toutes les deux semaines. Je ne sais pas s'il va tenir le coup pendant quatre mois encore. Il veut rester aux premières loges. Tant qu'il n'insiste pas pour se trouver dans la salle d'accouchement le moment venu, ça va. Et s'il ne se satisfait que d'un sourire en retour, je n'ai rien contre les fleurs. J'ai de fichus beaux sourires depuis que j'aime être enceinte.

C'est magique. Ma vie commence à prendre une allure de vie, maintenant que j'ai une vie de couple. Jack, et moi, moi et Jack, nous deux.

La mère veille

Il n'y a plus grand-chose depuis quelque temps, entre papa et moi. Quelques regards seulement pour ne pas perdre le fil. Seulement quand maman n'est pas là pour les intercepter.

Je m'ennuie de lui, même si je le vois tous les jours. Depuis que je suis en âge d'être une jeune fille, maman lui a interdit de me toucher. J'aimais ses caresses dans mes cheveux, sa main qui pressait ma nuque pour la masser, ses cuisses robustes sous mes fesses pointues, quand il me faisait sauter ou me berçait en chantant des mots choisis pour faire rougir mes joues. Un jour, et c'est le jour du dernier, maman a entendu une de ses chansons. Elle a dit : « Ça suffit ! ». Sa voix sifflait comme celle d'un serpent, lorsqu'il sort la langue pour faire le mal. Papa s'est arrêté de chanter, j'ai oublié tout d'un coup ce dont il s'agissait dans la chanson, sinon que c'était beau, comme un chant d'amoureux.

Se bercer seule, ce n'est pas la même chose. Maman me donne des revues à feuilleter, comme si cela pouvait combler l'absence de papa auprès de moi. Lui, il lave la vaisselle qu'elle dépose dans l'évier, en fredonnant un air que je ne suis pas certaine de reconnaître. De temps en temps, il tourne la tête vers moi et me fait un clin d'œil, les lèvres tendues sur une note. Je pense qu'il s'agit de cette mélodie interrompue. C'est écrit dans son œil coquin. Nous sommes complices, encore, de nouveau. *Papa, oh !* Tu étais toujours là ! Où étais-je, moi ?

Ce soir, maman va à son cours d'aérobie. Elle veut rester jeune, même si elle l'est déjà. Je sens qu'elle est réticente à partir, comme si elle craignait une chose, se faire voler sa place, ou ne plus la trouver à son retour, je ne sais pas trop. Dès que la porte se referme, papa et moi nous précipitons à la fenêtre d'un commun accord, sans même nous être consultés, pour nous assurer que la voiture quitte le stationnement ; nous sommes comme des voleurs, tapis derrière le store et nos masques de compères. Il se tourne vers moi, me prend par la taille, me dit : « Rrraaaaghhhh ! À nous deux ! » et on court vers la cuisine. Au premier qui trouve le « pop-corn », le bol, le beurre, la machine à faire éclater le maïs, nous sommes deux délinquants, deux prisonniers en permission pour qui le temps est compté. Nous rions tous les rires retenus, nous nous touchons partout où se toucher peut nous faire rire davantage, nous sommes comme avant.

Lovés l'un contre l'autre dans le sofa, nous bourrant de maïs soufflé bien gras comme nous l'aimons, nous regardons un couple qui s'embrasse à la télé. Ça me met toujours mal à l'aise. Je n'ai jamais embrassé un garçon, mis à part papa. Ce n'est pas la même chose. Maman embrasse papa comme l'homme embrasse la femme à la télévision, mais l'homme de la télé regarde la femme comme papa me regarde, moi. Je remarque cela à l'instant et je me sens embarrassée. Je prétexte une envie soudaine pour me lever et aller aux toilettes. Là, je cherche mon reflet dans le miroir. Je vois une fille, je ne sais trop qui elle est : moi, ou celle de la télé. J'ai peur de retourner au salon, mais papa m'appelle. Je lui manque déjà.

« Tu as été longue, ma beauté. » Il ne m'a jamais appelée comme ça.

Lorsque maman revient, je suis endormie, la tête sur les genoux de papa. Maman n'aime pas ce qu'elle voit, je pense, car c'est par ses protestations que je suis réveillée. J'entends des mots, mais je suis si embrouillée par le demi-sommeil que je n'en comprends pas la moitié, ou juste suffisamment pour voir qu'elle n'est pas d'accord avec quelque chose. Je vais vite dans ma chambre, là où rien de grave ne peut arriver.

Mais j'entends encore les paroles qui éclatent et s'entrechoquent. La voix de maman couvre celle, plus faible, de papa. La voix de maman est toujours plus forte, comme les voix de ceux qui perdent, ou

147

qui gagnent. Une porte claque, plus rien. Des pas, des marmonnements. On entre dans ma chambre.

— Ta mère est partie.

— Partie ? Il s'assoit sur mon lit. Ça creuse le matelas déjà mou. Je m'agenouille à côté de lui, passe mon bras autour de ses épaules. Pour une fois, c'est moi qui fais cela. Nous restons longtemps dans cette position. La moitié de mon corps est engourdie, presque morte, mais cela m'incommode à peine. Ce battement chaud que je sens au creux de ma poitrine, calme comme nos respirations synchronisées, ravive la certitude de quelque chose que je croyais envolé.

Sa tête se dépose dans le creux osseux, entre mon cou et mon épaule. Il reste là, il ne dit rien, son souffle est profond. Je pense que nous sommes bien. Je n'ai plus la peur de tout à l'heure, je suis la seule femme.

Huit

Je pense pas que le bon Dieu l'ait fait exprès pour tout ce qui m'est tombé dessus la dernière année. Je veux bien croire que je suis pas le gars le plus malin, que le grain que j'ai dans le crâne fonctionne pas à cent milles, mais j'ai toujours fait mon possible pour que le monde ne me trouve pas trop con.

Un jour, un jour comme les autres, sauf que c'est le jour où le ciel a justement décidé de me tomber dessus, on a trouvé ma femme couchée dans l'étang. «On», c'est la p'tite pis moi. Au premier coup d'oeil, j'ai pensé : «qu'est-ce qu'elle fait là-dedans avec sa robe du dimanche? On est mardi.» J'étais sous le choc, y a pas à dire, pour que cette idiotie m'ait traversé l'esprit, parce qu'y a personne qui flotte comme ça, accroché entre les branches, avec sa robe du dimanche, juste pour faire beau.

J'ai laissé la p'tite dans son pousse-pousse. Elle gazouillait comme pour accompagner les oiseaux.

Je criais, moi, par en dedans pour pas effrayer la p'tite. Je criais : « Marie ! Marie ! Marie ! Qu'est-ce que t'as à faire là dans l'eau ? C'est pas ta place ! Qu'est-ce que je vais faire sans toi avec juste la p'tite sans toi ? Qu'est-ce qu'on va faire ? Est-ce que j'étais un si mauvais gars ? Dis-moi que c'est encore un de tes tours... »

Mais c'était vrai cette fois, y avait pas de doute. Comment quelqu'un peut se noyer dans aussi peu d'eau ? Je vous dirais qu'y faut vouloir. J'en avais jusqu'aux cuisses quand je l'ai retirée de là. Les algues, les herbes s'accrochaient à moi autant qu'à elle tandis que j'essayais de la ramener sur la terre, là où la p'tite pouvait pas voir ça. On aurait dit que l'étang voulait la garder, mais moi aussi je la voulais, même comme ça toute gorgée d'eau. J'embrassais son visage, je secouais ses bras, j'essayais toutes sortes d'affaires pour lui montrer qu'elle était pas finie, sa vie, mais elle persistait à rester morte raide.

J'ai cessé de faire l'idiot, surtout que la p'tite là-bas commençait à chialer, pour faire comme moi. Faut dire qu'à ce stade, y avait plus grand-chose qui pouvait rester en dedans, ni même mon déjeuner. Toute la peine du monde sortait par ma bouche, cette même bouche qui l'avait engueulée, la Marie, la veille au soir.

J'avais un peu bu, c'est pas ma faute, c'est l'hérédité, et elle a pas aimé ça parce que la p'tite pouvait décidément pas, à ses dires, faire une bonne vie avec un père pareil. Je lui ai dit qu'un père pouvait pas avoir une bonne vie avec une femme comme elle non plus, sans argent autre que celui du gouvernement, perdu dans un trou, avec un bébé d'un an même pas foutu de faire la conversation pour compenser la nullité de la mère.

Elle aurait dû être habituée, Marie, à ce que je dise des choses de ce genre quand je buvais. C'était pas pour être méchant, c'était pas la vérité toute nue, juste celle habillée bon marché. Quand on est pas riche, on a juste les moyens de dire des affaires *cheap*. Je buvais pas pour raconter ces niaiseries, mais ça sortait de ma gueule, comme un train d'un tunnel, avec le même maudit tapage.

On l'a enterrée entre deux pommiers même pas foutus d'être en fleurs pour l'occasion. Y avait pas grand monde, des parents à elle qui m'auraient tué si leurs yeux avaient été des pistolets. Transpercé à froid, le gars. Le père s'est approché, après le sermon du curé qui m'a fait bâiller bien grand ouvert :

— J'ai peur maintenant de ce qui va arriver à ma petite fille. J'y ai répondu :

— J'ai peur de c'qui va vous arriver si vous r'tirez pas c' que vous v'nez d' dire. Parce que c'est vrai en fin de compte, la p'tite, je lui ferais pas de mal, pas plus qu'à une mouche. Et puis d'abord, tous les gars du village, y boivent un coup. Sauf que c'est pas les femmes de tous les gars qui se suicident pour ça. J'ai pas été chanceux, c'est tout.

Je suis reparti du cimetière après avoir arraché la p'tite des mains du grand-père qui lui racontait des bobards sur les anges, et le ciel, et maman qui vole là-haut avec ces cinglés d'oiseaux, et je l'ai emmenée manger une crème glacée au village. Y avait des tas d'yeux encore sur nous, comme si c'était un sacrilège d'aller manger une crème glacée après un enterrement. Est-ce que je les accuse, moi, ces bonnes femmes, de préférer écouter leurs conneries de femmes à la télé plutôt que de servir leurs maris sur l'oreiller ? Si elles savaient ce qu'ils racontent sur elles, le soir au bar, elles seraient rouges comme des cerises juste à me frôler à dix pieds de distance.

La vie a changé, ça oui. Marie partie, Mme Jarvis, une grosse femme, grosse comme la pleine lune, s'amenait chez nous, deux fois par semaine, pour voir si la crasse avait pas trop pris racine. Elle me faisait pas confiance ou quoi, en tout cas, elle avait pas son pareil pour distribuer les becs. Je pensais que c'était bon pour la p'tite, d'être aimée par cette masse d'affection, elle qui avait pas eu de chance sur la terre pour ce qui est de ça. Les becs, moi, je trouve que c'est une affaire de femme, sauf quand on peut sortir la langue.

De mon côté, je me suis fait un chum. Un p'tit neveu de Mme Jarvis, à qui j'ai eu le malheur de trop bien apprendre à jouer aux dominos. Au début, je faisais exprès de jouer mou, question qu'y se décourage pas trop, mais j'ai vite réalisé que j'avais pas besoin de me forcer pour le laisser gagner, y me plantait à tous les coups. C'était difficile à croire d'ailleurs, que c'est moi qui lui avais montré à jouer, parce que moi, je perdais toujours à ce maudit jeu.

Maxime, qu'y s'appelait. Un nom de fifi, à mon avis. Sont passés où les Robert, Marcel et Jacques ? « Max », comme j'y disais et y aimait ça. « T'es fort au jeu. Ça t' dirait pas d' faire fortune avec ça ? ». Y pensait que je blaguais. Jusqu'à ce que j'organise le tournoi. Mme Jarvis trouvait que je négligeais la p'tite, alors que je lui préparais un avenir en or avec plein de sous pour rouler dessus dans une poussette digne du carrosse de Cendrillon.

On a voulu faire ça discret, avec juste les gars du bar habitués à jouer, finalement, ça s'est su. Faut dire que comme activité dans ce village, à part la messe, la pétanque après, pis regarder les mouches se déposer sur les tas de merde, y a pas grand-chose à faire.

On a donc déblayé la cour à *scrap* derrière la maison. C'est génial, cet espace, sans sa cochonnerie. J'ai pensé : « je vais en faire un terrain de jeux pour la p'tite, avec des balançoires et tout, possible que j'envisage ça. » Une fois le sable débarrassé de ses cailloux, ç'avait l'air d'un bout de plage, avec le soleil plombant droit au centre, là où on a mis la table avec le parasol : obligé si je voulais pas que Max attrape son coup de grâce, le top de la tête rôti comme un oeuf. C'était mon protégé, mon poulain après tout. Presque mon fils, si j'y pense comme ça.

Il a joué, le p'tit gars, c'était fameux à voir. Y se sont tous fait plumer, Bob, Jack, Bernie, même Junior jr., le fils de Charlie jr., que j'ai jamais vu perdre en mille ans. Y avait les spectateurs. Mme Jarvis leur servait la limonade pour vingt sous, et la p'tite, qui faisait des tas de sable pas loin.

C'est avec elle que ça s'est gâté. Max venait de gagner en huitième manche. Huit, c'est mon chiffre chanceux, j'ai eu envie d'arrêter tout ça là, mais les sous s'empilaient tellement joliment. Ils envoyaient des rayons dorés dans les yeux des gens. Personne s'était rendu compte qu'y manquait une pièce au jeu, jusqu'à ce que la p'tite commence à tousser, à virer au rouge, puis au bleu. J'avais pas les doigts assez fins pour entrer dans son gosier. La pièce de domino prenait toute la place. Même les p'tits doigts de Max ont pas pu se faufiler.

Le soleil descendait sur la cour, et le silence. Est-ce qu'on peut entendre ça, le silence ? J'ai couché la p'tite sur le ventre, j'ai tapé, je l'ai tournée de côté : « Hey la p'tite ! Qu'est-ce que tu fais ? Où tu vas ? Crache-moi ça c'te morceau-là ! C'est pas un bonbon, fais pas ça ! Va-t-en pas toi aussi... »

Y a eu encore plus de silence. Ça faisait mal à écouter tout cet espace qui prenait toute la place. Mme Jarvis a jeté un cri là-dedans, ça avait le son de la vitre qu'on lance contre une cheminée, je le sais, je l'ai déjà fait, et elle s'est emparée de la p'tite et l'a brassée comme un sac de sable. Personne bougeait, on voyait bien que ça servait à rien. Y me semble que les secondes faisaient des minutes, les minutes des heures, tellement le temps se comptait pas comme d'habitude.

Je voudrais bien dire que la p'tite est revenue et qu'elle a eu l'air d'une princesse dans son carrosse de cendrillon que je lui aurais acheté avec les sous du tournoi, et que Max est devenu comme mon fils et son grand frère. Mais c'est pas le cas, et je peux juste penser à ce foutu bout de bois, un stupide rectangle blanc avec huit points noirs imprimés dessus, trois d'un bord, cinq de l'autre. Huit.

E.T. phone home

Samedi soir. En déséquilibre devant un miroir, vous contemplez votre célibat, cet état d'être débilitant qui maquille en permanence votre visage de traits peu subtils. Vous demandez à ce stigmate ce qu'il est convenable d'imaginer pour meubler cette soirée sacrée ; comment occuper ce corps inutile et inutilisé. Ça n'a rien de drôle : vous voilà en train de parler à votre reflet, tout haut. Le cafard vous terrasse.

Elle, à la distance infranchissable d'un coup de téléphone, ne se pose pas cette question ; la télévision répond à son ennui comme à ses manques affectifs et à votre silence. Tous ces gens derrière l'écran sont *tellement* intéressants et productifs, comparés aux nuls de la vraie vie. N'est-il pas fascinant de les regarder s'aimer ou se détester bruyamment dans leur château fort, à grands renforts de claques, de bagues à diamants et de trahisons ? Dans votre petit trois et demi de vieille fille sans même un chat, le ronron du frigo accompagne vos soupirs, les pare d'un fond sonore de bas étage.

Elle fait semblant de ne pas espérer votre appel, vous faites semblant d'avoir quelque chose d'important à faire. Tiens ! une lecture de poésie à la maison de la culture de ce quartier cultivé. Le poète, qui arbore une moustache de policier — il veut contredire le genre — lit avec un timbre de voix monocorde — encore au nom du genre — des vers qui paraissent sortir tout droit de la terre, difformes, laids, mous. Alors qu'il devrait rougir de proférer de telles inepties, sa figure est aussi blanche que sa voix. Il va s'évanouir, ou alors il fait semblant de se trouver au seuil de la mort pour accentuer le prétendu climat dramatique. Raclez-vous discrètement la gorge pour signifier à votre voisin de siège — qui fait semblant d'être franchement fasciné — que vous désirez vous lever, partir, vite, et que ses grandes jambes vous bloquent la voie. Tout le monde fait semblant, au moment qui lui convient.

Dans la rue, une cabine téléphonique illuminée vous fait penser à elle. Qu'est-ce qu'on joue à la télé à cette heure ? Un suspense, un *thriller* psychologique avec un psychopathe séduisant comme elle les adore et qu'il serait vilain d'interrompre. Vous n'avez rien à dire, de toute façon. Rien qui puisse l'intéresser. Une pointe de pizza à un dollar, c'est ce qu'il vous faut.

Les dimanches matin, dans le temps, des temps anciens, elle vous habillait en petite princesse de banlieue pour la messe de neuf heures. Quelle inconscience! traumatiser une enfant de la sorte en la donnant ainsi, à jeun, en pâture au pieux voisinage. Toute la semaine, vous portiez les vêtements défraîchis de vos voisines plus riches, mais le dimanche, il fallait vous mettre sur votre trente-et-un pour la grande sortie. Vos souliers vernis résonnaient sur le ciment de l'église, votre estomac vide gargouillait, toutes les têtes se tournaient vers vous, ou était-ce le fruit de votre imagination? Vous avanciez cérémonieusement, telle une mariée peu pressée d'arriver à l'autel. Elle, elle tenait captive votre menotte déjà emprisonnée dans des gants de dentelle opaque, comme si elle craignait que vous ne vous envoliez. C'est vrai que, vêtue avec tant de panache, vous aviez l'air d'un oiseau du paradis, d'une fleur aérienne dans la demeure du Seigneur.

Épicerie, buanderie. Remplir le frigo et vider le panier à linge sale. Voilà maintenant en quoi consistent vos dimanches. Analyser le budget et l'état matrimonial des hommes d'après le contenu de leur panier d'emplettes. Foncer avec le vôtre sur celui dont l'équilibre alimentaire et financier ne fait aucun doute dans votre esprit et vous excuser avec des sourires niais, s'il se révèle que le panier du type est également accompagné d'une femme. Puis, passer à la buanderie. L'analyse du panier à linge, elle, ment rarement.

Dimanche soir. Votre main se pose sur le combiné, mais c'est étrange, les chiffres se coincent dans votre mémoire. Vous espérez que votre sœur, votre frère, que quelqu'un lui ait téléphoné au moins une fois, pendant le week-end. Vous savez ce que c'est, un appareil téléphonique qui ne sert à rien, qui semble cassé, en dérangement, au point de décrocher le combiné pour vérifier s'il est toujours en fonction.

La télé diffuse un film de Bette Davis, « All About Eve ». Elle l'a vu trente-trois fois déjà, mais il est certain qu'elle se le repassera. Elle est folle de Davis. Ce doit être héréditaire : vous aussi. Avec un bol de « pop-corn » au beurre, même toute seule, c'est agréable de le revoir. Vous espérez qu'elle ne le loupe pas. Parfois, ses mauvais yeux lisent le téléhoraire de travers.

Lundi. Il serait temps de quitter ce boulot médiocre, de tirer votre révérence sans vous accrocher dans le tapis, de faire une boulette de votre vie actuelle, et de recommencer à neuf. Dire qu'elle avait économisé de l'argent pour que vous fassiez des études et que vous l'avez dilapidé en voyages. « C'est du pareil au même, ça ouvre tout autant l'esprit ». Et le porte-feuille. Vos fins de mois en témoignent. La dernière fois que vous lui avez parlé au téléphone, il était question d'argent. Vous avez reçu un chèque une semaine plus tard.

Sur l'heure du dîner, un collègue vous invite. Vous auriez dû refuser. Le prix à payer est de l'écouter raconter ses salades interminables : son père pour lequel il doit débourser une partie des frais du centre d'accueil, son ex-femme dont la pension absorbe la moitié de son salaire, son chien qui le ruine en frais de vétérinaire. Puis, il vous demande si vous voulez bien sortir avec lui demain soir. Vous dites : « Oui, j'aimerais bien, mais je suis cassée comme un clou ».

Au téléjournal de six heures, un chroniqueur explique qu'une vieille dame a été retrouvée dans son logement quatre jours après son décès. Le gériatre interrogé relève que les personnes âgées sont de plus en plus laissées pour compte, oubliées par leur famille, tassées dans des centres d'accueil, et quoi encore ! Gros plan sur un quatuor en pyjama qui joue aux cartes et qui sourit à la caméra, avec ou sans dents. On dirait de petits enfants en récréation. Vous changez de chaîne.

Mardi. Le téléphone sonne. Encore engluée dans le sommeil, vous croyez qu'il s'agit de la sonnerie du réveil. Vous réagissez trop tard : il n'y a personne au bout du fil et pas de message dans la boîte vocale. Vous résistez à l'envie de composer *69, vous vous doutez que la dépense n'en vaut pas la peine. Un jour, vous l'avez composé et la voix électronique a égrené son numéro de téléphone. Vous ne l'avez pas rappelée, trop fâchée à l'idée d'avoir gaspillé quatre-vingt-quinze cents, tout ça à cause de son entêtement à ne pas laisser de message. « J'ai une voix assez laide sur ces machines-là ! »

Bureau. Ambiance de bureau. Le collègue réitère sa demande. Sa tête émerge par-dessus le paravent :

on dirait une marionnette, en moins comique. Cette fois-ci, il précise qu'il vous paie le ticket pour le cinéma. On joue le dernier Spielberg, il *faut* le voir, les critiques sont divisés, il *faut* se faire sa propre idée. Oui, oui, bien sûr, c'est *capital*, il *faut* y aller. Ça vous fera un sujet de conversation lorsque vous l'appellerez samedi : elle adore le cinéma américain. Il y a d'ailleurs longtemps que vous ne lui avez proposé un souper cassette vidéo, comme elle l'aime tant. Du poulet de la rôtisserie, mangé à même la boîte : « Veux-tu le reste de ma sauce ? Je digère pas ça. Qu'est-ce qu'il a dit ? Qu'est-ce qu'il a dit ? J'en ai manqué un bout ! » Des temps anciens.

Cinéma. Arômes de salle de cinéma. L'odeur d'eau de Cologne qui imprègne les vêtements de votre collègue, combinée avec celle du « pop-corn », tapissée mur à mur, vous soulève le cœur. Vous portez votre foulard sur votre nez, discrètement. Il accapare la totalité de l'accoudoir commun, vous vous retrouvez sur la totalité de l'autre. Le film vous ennuie un peu. En fait, vous avez toutes les misères du monde à vous concentrer, ou est-ce la présence de cet homme que vous n'aimez pas et dont vous craignez le genou qui semble chercher le vôtre ? Vous prétextez une envie irrésistible. Vite les toilettes ! Et tandis que vous vous dirigez à pas lents vers les cabinets, vous passez devant le téléphone sans le regarder. A-t-on idée de téléphoner en plein milieu d'un film, de toutes manières.

Meeeeercredi. La semaine passe au ralenti. C'est atroce, ce sentiment. On dirait un ver qui s'étire sans casser, par un jour de pluie. Impossible de ne pas le remarquer, même en faisant tout pour ne pas le voir. Le mercredi est la journée qu'elle préfère, celle de sa partie de pétanque dans le parc. Une fois, dans des temps anciens, vous êtes allée en cachette la voir jouer, sans jamais lui signifier votre présence. Vous avez regardé cette vieillesse d'un œil triste, voyant le reflet de la solitude dans ces boules métalliques s'entrechoquant les unes contre les autres, toutes identiques, cherchant le contact, le trouvant avec un petit bruit conquérant.

Mais il pleut à boire debout aujourd'hui. Vous vous sentez mal. Votre sœur vous appelle en soirée : « E.T., tu as parlé à maman dernièrement ? Non ? Je sais bien. Tu es la dernière à savoir qu'elle s'est tordu une cheville lundi, en revenant de faire ses courses. Elle s'obstine à porter ses sacs elle-même au lieu de prendre un taxi. Appelle-la, E.T. Cesse de la voir seulement comme un guichet automatique. » Vous n'avez pas le temps. Trois jours de vaisselle traînent sur le comptoir. Et puis : Élisabeth. C'est Élisabeth votre nom, pas E.T. Quand cessera-t-on de se moquer de vous ainsi ?

Jeudi. Difficile de vous concentrer sur votre travail sachant qu'elle attend sûrement votre appel, le pied dans la glace, télécommande à la main, oreille tendue, espérant une sonnerie qui ne vient pas.

Facile d'imaginer la scène. Terrible, d'être la plus jeune, la plus aimée, la plus attendue. Terrible.

Vous faites une promenade pendant votre heure de lunch. Vous appréciez de pouvoir vous déplacer sur vos jeunes jambes comme sur des roulettes. Dans ce petit parc, vous vous arrêtez pour grignoter un sandwich auquel vous ne faites pas confiance en constatant la date de péremption sur l'étiquette. Après avoir extrait les feuilles de laitue molle et le gros cornichon, il ne reste plus grand chose. Sur un banc, à l'ombre d'un petit bouleau, un couple de vieux se tient par la main. Lui regarde les pigeons picorer le pain qu'elle leur lance de sa main libre. Un jet de miettes blanches vous rappelle un voile de mariée dans le vent. Vous les trouvez chanceux d'être deux. Votre sandwich « passé date » vous fait roter tout le long du retour au bureau. Vous-même vous sentez périmée.

Sous les néons, le miroir de la salle de bain renvoie un visage blafard, mélancolique. Vos lèvres minces ont l'air de n'avoir pas souri depuis long-temps. Vous risquez une espèce de rictus, c'est tout ce qui réussit à émerger. Ce n'est pas un succès : on dirait qu'un extra-terrestre s'est emparé de votre figure. Une collègue entre et commence à se bros-ser les dents. Vous n'avez jamais pu vous brosser les dents en public. C'est ainsi.

Ce soir, il vous faut absolument l'appeler. Mais pas entre sept et huit heures : on passe son téléroman favori, un truc qui parle de tout et de rien, surtout de rien.

Vendredi, enfin ! C'est effarant comme cette semaine s'est étendue, plate, sans variation. Il faut dire qu'il s'est passé si peu de choses, qu'il y a eu si peu de raisons de rire. Votre superviseur vous annonce d'une voix de commentateur sportif que votre poste est devenu inutile à cause d'une fusion, d'une réforme, etc., etc., que ça ne remet pas en question vos compétences, etc. Vous ne ressentez rien, même quand il vous offre de vous réintégrer ailleurs. Autre chose vous préoccupe. Mais quoi ?

Ce que vous ferez ce soir, par exemple. On ne peut laisser les vendredis soir au hasard : ils n'arrivent qu'une fois par semaine. Plus jeune, dans des temps anciens, cela allait de soi : discothèque, danse jusqu'aux petites heures du matin, pizza toute garnie, digestion garantie, collée sur l'amoureux du moment. Est-ce l'énergie, votre imagination ou le choix des choses à faire qui a diminué ? Occuper chaque seconde qui passe est devenu de plus en plus compliqué, ou est-ce vous qui le devenez ? Elle, elle ne se casse pas la tête avec l'angoisse des weekends à rentabiliser. Un jour ou un autre, c'est du pareil au même.

Samedi matin. Le téléphone qui sonne enclenche une inquiétude. Vous déposez votre croissant, fixez l'appareil comme s'il s'agissait d'un insecte indésirable, essuyez vos doigts graisseux et décrochez sans enthousiasme. C'est elle. Sa voix est claire, légère, vous la reconnaissez à peine, vous l'aviez oubliée, vous aviez imaginé autre chose. Elle vous raconte avec moult détails amusants sa chute et la suite des conséquences en se moquant d'elle-même et de sa maladresse : «Je suis tombée en bas de ma sandale !» Elle rit et parle encore. De cette pluie bienvenue qui a fait foirer sa partie de pétanque : «avec mon entorse, j'aurais perdu, c'est certain !», du film de Bette Davis : «tu ne l'as pas manqué, j'espère !». Elle vous demande si tout va bien, «Élisabeth». Et c'est fou, oui, tout à coup, ça va bien.

Table des matières

Autres titres
Marchand de feuilles